FORMENTAFELN

ZUR DEUTSCHEN SPRACHLEHRE

Satzaussage Prädikat	Satzgegenstand Subjekt	Umstands-bestimmung adv. Best.	Satzergänzung Objekt	Beifügung Attribut

Handreichungen für den Lernenden

Zusammengestellt und entworfen von Dr. Friedrich Müller

Erweiterte Ausgabe

FERDINAND SCHÖNINGH · PADERBORN
BLUTENBURG - VERLAG · MÜNCHEN

Best.-Nr. 25160

Inhalt

A. Lautlehre 1

Einteilung, Entstehung und Bildung der Laute 1

B. Wortlehre 2

Wortarten 2

Geschlechtswort (Beugung) . . . 2

Hauptwort (Übersicht) 2

Form des Hauptwortes 3
Beugung des Hauptwortes . . . 3
Kennzeichen der Beugungen . . 4
Beugung von Eigennamen . . . 4
Beugung von „Herr" 5
Beugung von Fremdwörtern . . 5
Gleichlautende Hauptwörter . . 6

Zeitwort (Übersicht) 9

Beugung von „sein" – „haben" – „werden" 10
Beugung eines schwachen Zeitwortes 13
Möglichkeitsform von „können" – „dürfen" – „mögen" – „lassen" 15
Beugung von starken Zeitwörtern 15
Kennzeichen der Beugungen . . 17
Ablautreihen 17
Zeitwörter mit zwei Abwandlungen 18
Abwandlung starker Zeitwörter . 19
Fallsetzung von Zeitwörtern . . 20
Untrennbar und trennbar zusammengesetzte Zeitwörter 21
Bewirkende Zeitwörter 22

Eigenschaftswort 22

Beugung 22
Steigerung 23
Fallsetzung v. Eigenschaftswörtern 24

Fürwort (Übersicht) 24

Arten und Beugung der Fürwörter 25

Zahlwort 28

Umstandswörter (Eine Übersicht) . 28

Steigerung 28

Verhältniswörter 29

Bindewörter 29

Empfindungswörter 30

Wortbildung 30

Aufbau einer Wortfamilie . . . 33

C. Satzlehre 35

Arten der Sätze 35
Satzteile 35
Vier Fälle 36
Abhängigkeit der Satzteile untereinander 36
Verhältnis von Sätzen zueinander 36
Satzgefüge (Nebensätze) . . . 37
Satzverbindung 39
Satzbilder 39
Satzzeichenregeln 43

ISBN 3-506-25160-0

A. Lautlehre (Phonetik)

Das deutsche **Alphabet** (Abc) besteht aus 26 Buchstaben; hinzu kommen drei Zeichen für Umlaute:

A	a	(ah)	H	h	(hah)	O	o	(oh)	V	v	(fau)
B	b	(beh)	I	i	(ih)	P	p	(peh)	W	w	(weh)
C	c	(zeh)	J	j	(jott)	Q	q	(kuh)	X	x	(ickß)
D	d	(deh)	K	k	(kah)	R	r	(err)	Y	y	(üppßilon)
E	e	(eh)	L	l	(ell)	S	s ß	(eß, eßzett)	Z	z	(zett)
F	f	(eff)	M	m	(emm)	T	t	(teh)			
G	g	(geh)	N	n	(enn)	U	u	(uh)			

Ä ä (äh) — Ö ö (öh) — Ü ü (üh)

Die Zahl der Buchstaben stimmt jedoch nicht mit der Zahl der Laute überein. Diese ist weit größer, wenn man noch die kleinsten Unterschiede zwischen den Lauten berücksichtigt.

Einteilung der Laute

I. Selbstlaute (Vokale)

Sie werden ohne Zuhilfenahme eines anderen Lautes gebildet und sind stimmhaft (Media). Zu den Selbstlauten (Vokalen) zählen:

1. die eigentlichen **Selbstlaute** (Vokale) **a, e, i, o, u**; 2. die **Umlaute ä, ö, ü**; 3. die **Doppellaute** (Diphthonge) **au, äu (eu), ei (ai).**

II. Mitlaute (Konsonanten)

Sie können nur unter Zuhilfenahme eines Selbstlautes (Vokales) gesprochen werden und sind teils stimmhaft (Media), teils stimmlos (Tenuis). Man kann die Mitlaute einteilen:

1. nach dem Ort ihrer Entstehung

Lippenlaute		Lippenzahnlaute		Zahnlaute		Gaumenlaute		Zäpfchenlaute		Kehlkopflaute	
stimmhaft	stimmlos	stimmhaft	stimmlos	stimmhaft	stimmlos	stimmhaft	stimmlos	stimmhaft	stimmlos	stimmhaft	stimmlos
b m	p	w	f	d, n l, r s, sch	t ß sch	j g n͡g	ch k	r	—	—	h

Anmerkung: Es gibt ein stimmhaftes und ein stimmloses **sch.** — Der Laut **ch** tritt zweifach auf: als stimmloser ich-Laut und als stimmloser ach-Laut. — Außerdem kennen wir **th** (sogenanntes stimmloses englisches th). Alle genannten Laute sind nach der Art ihrer Bildung Reibelaute.

2. nach der Art ihrer Bildung

Verschlußlaute	Nasenlaute	Seitenlaute	Schwinglaute	Reibelaute
p, b d, t g, k	m n n͡g	l	Zungen-R Zäpfchen-R	f, w ß, s, sch ch, j, h

B. Wortlehre (Morphologie)

Wortarten (Eine Übersicht)

Veränderliche Wortarten

1. **Hauptwort** (Substantiv)
2. **Geschlechtswort** (Artikel)
3. **Zeitwort** (Verb)
4. **Eigenschaftswort** (Adjektiv)
5. **Fürwort** (Pronomen)
6. **Zahlwort** (Numerale)

Unveränderliche Wortarten (Formwörter)

7. **Umstandswort** (Adverb)
8. **Verhältniswort** (Präposition)
9. **Bindewort** (Konjunktion)
10. **Empfindungswort** (Interjektion)

Das Geschlechtswort (der Artikel)

Das bestimmte Geschlechtswort	Einzahl (Singular) männl.	weibl.	sächl.	Mehrzahl (Plural) m. w. s.
1. Fall (Nominativ) Wer? Was?	der	die	das	die
2. Fall (Genitiv) Wessen?	des	der	des	der
3. Fall (Dativ) Wem?	dem	der	dem	den
4. Fall (Akkusativ) Wen? Was?	den	die	das	die

Das unbestimmte Geschlechtswort	Einzahl (Singular) männl.	weibl.	sächl.	Mehrzahl (Plural)
1. Fall (Nominativ) Wer? Was?	ein	eine	ein	(Gibt es nicht!)
2. Fall (Genitiv) Wessen?	eines	einer	eines	
3. Fall (Dativ) Wem?	einem	einer	einem	
4. Fall (Akkusativ) Wen? Was?	einen	eine	ein	

Das Hauptwort (Substantiv)

(Eine Übersicht)

Das Hauptwort (Substantiv) bezeichnet:

1. **wirkliche Dinge (Konkreta)**
   - Gemeinnamen
     - Gattungsnamen (Mensch, Tier)
     - Sammelnamen (Gebirge)
     - Stoffnamen (Wein)
   - Eigennamen (Berlin, Rhein, Hans)
2. **gedachte Dinge (Abstrakta)**
   - Eigenschaften (Fleiß)
   - Zustände (Teuerung)
   - Handlungen (Bettelei)

Die äußere Form des Hauptwortes (Substantivs) weist auf:

1. **Geschlecht*** (Genus)
   - männlich (Maskulinum) — der, ein Mann
   - weiblich (Femininum) — die, eine Frau
   - sächlich (Neutrum) — das, ein Kind
2. **Zahl** (Numerus)
   - Einzahl (Singular) — der, die, das, ein, eine, ein
   - Mehrzahl (Plural) — die
3. **Fall** (Kasus)
   - Werfall — 1. Fall (Nominativ)
   - Wesfall — 2. Fall (Genitiv)
   - Wemfall — 3. Fall (Dativ)
   - Wenfall — 4. Fall (Akkusativ)

* Ausgedrückt durch das bestimmte und unbestimmte Geschlechtswort

Starke, schwache und gemischte Beugung (Deklination) des Hauptwortes

1. Männliche Hauptwörter (Maskulina)

		stark	schwach	gemischt
Einzahl	1. Fall (Wer? Was?)	der Mann	der Mensch	der Staat
	2. Fall (Wessen?)	des Mann-es	des Mensch-en	des Staat-es
	3. Fall (Wem?)	dem Mann-[e]	dem Mensch-en	dem Staat-[e]
	4. Fall (Wen? Was?)	den Mann	den Mensch-en	den Staat
Mehrzahl	1. Fall	die Männer	die Mensch-en	die Staat-en
	2. Fall	der Männer	der Mensch-en	der Staat-en
	3. Fall	den Männer-n	den Mensch-en	den Staat-en
	4. Fall	die Männer	die Mensch-en	die Staat-en

2. Sächliche Hauptwörter (Neutra)

		stark	schwach	gemischt
Einzahl	1. Fall	das Pferd	(Schwachgebeugte Hauptwörter sächl. Geschlechts gibt es nicht.)	das Bett
	2. Fall	des Pferd-es		des Bett-es
	3. Fall	dem Pferd-[e]		dem Bett-[e]
	4. Fall	das Pferd		das Bett
Mehrzahl	1. Fall	die Pferde		die Bett-en
	2. Fall	der Pferde		der Bett-en
	3. Fall	den Pferde-n		den Bett-en
	4. Fall	die Pferde		die Bett-en

3. Weibliche Hauptwörter (Feminina)

		stark	schwach	gemischt
Einzahl	1. Fall	die Mutter	die Frau	(Gemischtgebeugte Hauptwörter weibl. Geschlechts gibt es nicht.)
	2. Fall	der Mutter	der Frau	
	3. Fall	der Mutter	der Frau	
	4. Fall	die Mutter	die Frau	
Mehrzahl	1. Fall	die Mütter	die Frau-en	
	2. Fall	der Mütter	der Frau-en	
	3. Fall	den Mütter-n	den Frau-en	
	4. Fall	die Mütter	die Frau-en	

Kennzeichen der Beugungen (Deklinationen)

A. Starke Beugung (Deklination)

1. Es gibt starke männliche, weibliche und sächliche Hauptwörter (Maskulina, Feminina, Neutra).
2. Stark gebeugt (dekliniert) werden alle Hauptwörter (Substantive), die in der Mehrzahl den Umlaut haben.
3. Männliche und sächliche Hauptwörter auf **-en** oder **-n** werden ebenfalls stark gebeugt.
4. Bei den übrigen Hauptwörtern muß man folgende Endungen beachten:

	Einzahl (Singular) männliche und sächliche	weibliche	**Mehrzahl (Plural)** männl., weibl., sächl.
1. F.	—	in allen	-e, -er oder keine Endung
2. F.	-es, -s	Fällen	-e, -er oder keine Endung
3. F.	-e oder keine Endung	keine	-en, -ern, -n
4. F.	keine Endung	Endung	-e, -er oder keine Endung

B. Schwache Beugung (Deklination)

1. Bei der schwachen Beugung gibt es keinen Umlaut.
2. Kein sächliches Hauptwort wird schwach gebeugt (dekliniert).
3. Die männlichen Hauptwörter auf **r** und die weiblichen auf **e** hängen statt **-en** nur **-n** an (Ausnahme: Herren).

	Einzahl (Singular) männliche		weibliche		**Mehrzahl (Plural)** männliche		weibliche	
1. F.	keine Endung	-e	keine Endung	-e	-en	-n	-en	-n
2. F.	-en	-n	unverändert	unverändert	-en	-n	-en	-n
3. F.	-en	-n	unverändert	unverändert	-en	-n	-en	-n
4. F.	-en	-n	unverändert	unverändert	-en	-n	-en	-n
	(Elefant)	(Riese)	(Uhr)	(Schlange)	(Elefant)	(Riese)	(Uhr)	(Schlange)

C. Gemischte Beugung (stark und schwach gemischt)

1. Bei der gemischten Beugung gibt es keinen Umlaut.
2. Zur gemischten Beugung gehören nur männliche und sächliche Hauptwörter.
3. Hauptwörter der gemischten Beugung haben in der Einzahl das Kennzeichen der starken Beugung: **-es** im 2. Fall, in der Mehrzahl das Kennzeichen der schwachen: die Endung **-en**.

Beugung (Deklination) von Eigennamen

Ein Eigenname: **mit** Geschlechtswort (Artikel)	**Ein** Eigenname: **ohne** Geschlechtswort (Artikel)	**Zwei** Eigennamen: **mit** Geschlechtswort (Artikel)	**Zwei** Eigennamen: **ohne** Geschlechtswort (Artikel)
der Josef	Hedwig	der Hans Peter	Hans Peter
des Josef	Hedwigs	des Hans Peter	Hans Peters
dem Josef	Hedwig	dem Hans Peter	Hans Peter
den Josef	Hedwig	den Hans Peter	Hans Peter

Eigennamen mit besonderer Beugung[1]: männliche auf z, tz (Fritz), x (Max)		Eigennamen mit besonderer Beugung[1]: weibliche auf ie		Titel: **mit** Geschlechtswort (Artikel)	Titel: **ohne** Geschlechtswort (Artikel)
Franz	Franz	Marie	Sofie	der Kaiser Karl	Kaiser Karl
Franzens	Franz'	Mariens	Sofies	des Kaisers Karl	Kaiser Karls
Franz	Franz	Marie	Sofie	dem Kaiser Karl	Kaiser Karl
Franz	Franz	Marie	Sofie	den Kaiser Karl	Kaiser Karl

[1] Statt Apostroph oder der Endung -ens im 2. Fall (Genitiv) setzt man besser „von" mit dem Wemfall (Dativ).

Beugung (Deklination) von „Herr“

ohne Geschlechtswort — mit bestimmtem und unbestimmtem Geschlechtswort (Artikel)

Einzahl (Singular)				Mehrzahl (Plural)	
1. Fall	Herr	der Herr	ein Herr	Herren	die Herren
2. Fall	Herrn	des Herrn	eines Herrn	Herren	der Herren
3. Fall	Herrn	dem Herrn	einem Herrn	Herren	den Herren
4. Fall	Herrn	den Herrn	einen Herrn	Herren	die Herren

Beugung: „Herr“ und Titel — Titel und Name — „Herr“, Titel, Name

1. Fall	Herr Direktor	der Herr Direktor	Direktor Nagel (kommt)
2. Fall	Herrn Direktors	des Herrn Direktors	Direktor Nagels (Zimmer)
3. Fall	Herrn Direktor	dem Herrn Direktor	Direktor Nagel (geben)
4. Fall	Herrn Direktor	den Herrn Direktor	Direktor Nagel (bitten)

1. Fall	der Herr Direktor Nagel	Herr Direktor Nagel (kommt)
2. Fall	des Herrn Direktor[s] Nagel	Herrn Direktor Nagels (Zimmer)
3. Fall	dem Herrn Direktor Nagel	Herrn Direktor Nagel (geben)
4. Fall	den Herrn Direktor Nagel	Herrn Direktor Nagel (bitten)

1. Fall	Mehrzahl (Plural)	die Herren Direktoren — Leiter	Meier und Schulte
2. Fall		der Herren Direktoren — Leiter	”
3. Fall		den Herren Direktoren — Leitern	”
4. Fall		die Herren Direktoren — Leiter	”

Beugung (Deklination) einer Auswahl gebräuchlicher Fremdwörter

2. Fall Einzahl (Singular) und 1. Fall Mehrzahl (Plural) auf -en	2. Fall Einzahl (Singular) auf -s 1. Fall Mehrzahl (Plural) auf -e		1. und 2. Fall Einzahl gleichlautend, 1. Fall Mehrzahl auf -n	1. und 2. Fall Einzahl gleichlautend, 1. Fall Mehrzahl auf -en
der Abonnent	der Admirāl	das Archīv	die Akademīe	die Bibliothēk
der Agent	der Ballōn	das Ballett	die Allēe	die Delegatiōn
der Akrobāt	der Defekt	das Duell	die Bestie	die Demonstratiōn
der Architekt	der Dekoratōr	das Exemplār	die Debatte	die Expeditiōn
der Artist	der Detektīv	das Experiment	die Demokratīe	die Explosiōn
der Astronōm	der Dialekt	das Fundament	die Epidemīe	die Fraktiōn
der Bandīt	der Effekt	das Ideāl	die Epoche	die Garnisōn
der Brillant	der Export	das Inserāt	die Garantīe	die Garnitūr
der Dirigent	der Generāl	das Instrument	die Hymne	die Generatiōn
der Egoist	die Generāle,	das Komplott	die Idēe	die Hypothēk
der Favorīt	auch: Generāle	das Magazīn	die Industrīe	die Infektiōn
der Gratulant	der Katalōg	das Medikament	die Katastrōphe	die Klīnik
der Hydrant	der Konflikt	das Modell	die Rōute (Rute)	die Kreatūr
der Komēt	der Monolōg	das Orgān	die Sekte	die Natiōn
der Monarch	der Ōzean	das Origināl	die Sympathīe	die Notiz
der Optimist	der Passagīer	das Patent	die Szēne	die Oppositiōn
der Paragrāph	der Prospekt	das Problēm	die Schablōne	die Pensiōn
der Patient	der Protest	das Programm	die Sparte	die Portiōn
der Patriōt	der Redaktōr	das Projekt	die Sphāre	die Qualität
der Phantast	der Sarkophāg	das Protokoll	die Theorīe	die Ratiōn
der Philosōph	der Talār	das Referāt	die Trophāe	die Reform
der Poēt	der Tarīf	das Symbōl	die Tȳpe	die Regiōn
der Sozialist	der Termīn	das Systēm	die Zentrāle	die Republik
der Spekulant	der Viadukt	das Temperament	die Zeremōnie	die Zensūr
der Vagabund		das Testament	die Zisterne	

Ferner: der Artikel, des -s, die Artikel / das Exempel, des -s, die Exempel / das Kapitel, des -s, die Kapitel / der Orden, des -s, die Orden / der Partner, des -s, die Partner / das Theāter, des -s, die Theāter // das Hotel, des -s, die -s / der Karton, des -s, die -s / der Salon, des -s, die -s / das Sīlo, des -s, die -s / der Scheck, des -s, die -s / der Tank, des -s, die -s / der Waggon, des -s, die -s // der Inspektor, des -s, die Inspektōren / das Juwēl, des -s, die Juwēlen / der Doktor, des -s, die Doktōren / der Tȳp, des -s, die Tȳpen.

Besonderheiten:

Album, das, des -s, die Alben
Atlas, der, des Atlas und des Atlasses, die Atlasse und die Atlanten
Ballast, der, des -es, die Ballaste
Cafḗ, das, des Cafḗs, die Cafḗs
Charakter, der, des -s, die Charaktēre
Chef, der, des Chefs, die Chefs
Dātum, das, des -s, die Dāten
Dock, das, des -s, die Docke und die Docks
Drāma, das, des -s, die Drāmen
Etāt, der, des -s, die Etāts
Firma, die, der Firma, die Firmen
Genīe, das, des Genīes, die Genīes
Glōbus, der, des Glōbus und des Glōbusses, die Glōben und die Glōbusse
Gymnāsium, das, des -s, die Gymnāsien
Hospitāl, das, des -s, die Hospitāle und die Hospitǟler
Indivīduum, das, des -s, die Indivīduen
Interesse, das, des -s, die Interessen
Kapitāl, das, des -s, die Kapitālien und die Kapitāle
Komma, das, des -s, die Kommas und die Kommata
Kongreß, der, des Kongresses, die Kongresse
Konto, das, des -s, die Konten und die Kontos (auch: die Konti)
Krēm, die, der Krēm, die Krēms
Laboratōrium, das, des -s, die Laboratōrien
Lexikon, das, des -s, die Lexika und die Lexiken
Madonna, die, der Madonna, dieMadonnen
Materiāl, das, des -s, die Materiālien
Minerāl, das, des -s, die Minerālien
Ministērium, das, des -s, die Ministērien
Musēum, das, des -s, die Musēen
Mystērium, das, des -s, die Mystērien
Palāīs, (palä), das, des Palāīs, die Palāīs
Palast, der, des -es, die Paläste
Park, der, des -s, die Parke und die Parks
Partīe, die, der Partīe, die Partīen
Porto, das, des -s, die Portos und die Porti
Praxis, die, der Praxis, die Praxen
Prinzīp, das, des -s, die Prinzipien
Relief, das, des -s, die Reliefs und die Reliēfe
Rhythmus, der, des Rhythmus, die Rhythmen
Rivāle, der, des Rivālen, die Rivālen
Saison, die, der Saison, die Saisons
Schēma, das, des -s, die Schēmas und die Schēmata
Spitāl, das, des -s, die Spitǟler
Stādion, das, des -s, die Stādien
Stādium, das, des -s, die Stādien
Stipendium, das, des -s, die Stipendien
Stūdium, das, des -s, die Stūdien
Thēma, das, des -s, die Thēmen und die Thēmata
Vīsum, das, des -s, die Vīsa
Wrack, das, des -s, die Wracke und die Wracks
Zentrum, das, des -s, die Zentren

Gleich- oder ähnlichlautende Hauptwörter (Substantive) mit gleicher oder fast gleicher Bedeutung, aber verschiedenem Geschlecht

Einzahl (Singular)	Mehrzahl (Plural)	Einzahl (Singular)	Mehrzahl (Plural)
die Ecke	die Ecken	der Ritz	die Ritze
das Eck	die Ecke	die Ritze	die Ritzen
der Karren	die Karren	das Rohr	die Rohre
die Karre	die Karren	die Röhre	die Röhren
der, das Knäuel	die Knäuel	der Scherben	die Scherben
der, das Knaul (mittel- u. niederdeutsch)	die Knaule / die Knäule	die Scherbe	die Scherben
der Pfosten	die Pfosten	der Schurz	die Schurze
die Pfoste	die Pfosten	die Schürze	die Schürzen
der Quast	die Quaste	der Sims	die Simse
die Quaste	die Quasten	das Sims	die Simse
der Quell	die Quelle	der Spalt	die Spalte
die Quelle	die Quellen	die Spalte	die Spalten

Einzahl (Singular)	Mehrzahl (Plural)	Einzahl (Singular)	Mehrzahl (Plural)
der Spann	die Spanne	die Versäumnis	die Versäumnisse
die Spanne	die Spannen	das Versäumnis	die Versäumnisse
der Striemen	die Striemen	der Zacken	die Zacken
die Strieme	die Striemen	die Zacke	die Zacken
der Trupp	die Trupps	der Zeh	die Zehen
die Truppe	die Truppen	die Zehe	die Zehen

Gleichlautende Hauptwörter (Substantive) mit verschiedener Bedeutung

Geschlecht in der Einzahl verschieden, in der Mehrzahl aber gleich

Einzahl	Mehrzahl	Einzahl	Mehrzahl
der Bulle *(Stier)*	die Bullen	der Messer *(Person, z. B. Landmesser; auch Gerät)*	die Messer
die Bulle *(Gesetz, Urkunde)*	die Bullen	das Messer *(Schneidewerkzeug)*	die Messer
der Chor *(Lied, Gruppe von Sängern)*	die Chöre	der Schenk *(Wirt)*	die Schenken
der, das Chor *(Altarraum)*	die Chöre Chore	die Schenke *(Gasthaus)*	die Schenken
die Erkenntnis *(Einsicht)*	die Erkenntnisse	der See *(Binnensee)*	die Seen
das Erkenntnis *(richterliches Urteil)*	die Erkenntnisse	die See *(Meer)*	die Seen
der Heide *(Ungläubiger)*	die Heiden	der Teil *(vom Ganzen)*	die Teile
die Heide *(Landschaft)*	die Heiden	das Teil *(Anteil)*	die Teile
der Mast *(am Schiff)*	die Masten	der Weih *(Raubvogel)*	die Weihen
die Mast *(Fütterung)*	die Masten	die Weihe *(Weihung)*	die Weihen
		der Weise *(kluger Mensch)*	die Weisen
		die Weise *(Melodie)*	die Weisen
		die Waise *(Halb-, Vollwaise)*	die Waisen

Gleichlautende Hauptwörter (Substantive) mit verschiedener Bedeutung

Geschlecht in der Einzahl verschieden, aber nur eines der beiden Wörter bildet eine Mehrzahl

Einzahl	Mehrzahl	Einzahl	Mehrzahl
der Ekel *(widerliches Gefühl)*	—	das Mark *(im Knochen)*	—
das Ekel *(widerlicher Mensch)*	die Ekel	die Mark *(Geldstück)*	—
der Erbe *(Person)*	die Erben	die Mark *(Grenzgebiet)*	die Marken
das Erbe *(Erbschaft)*	—	*(Bewohner der Marken)* =	die Märker
der Harz *(Gebirge)*	—	der Reis *(Frucht)*	—
das Harz *(Absonderung von Bäumen)*	die Harze	das Reis *(junger Zweig)*	die Reiser
der Hut *(Kopfbedeckung)*	die Hüte	der Schwulst *(Wortschwall)*	—
die Hut *(Schutz)*	—	die Schwulst *(Geschwür)*	die Schwülste
der Kunde *(Käufer)*	die Kunden	der Tau *(Wasser)*	—
die Kunde *(Mitteilung)*	—	das Tau *(Halteseil)*	die Taue

Gleichlautende Hauptwörter (Substantive) mit verschiedener Bedeutung

Geschlecht in der Einzahl verschieden, die Wörter bilden eine verschiedene Mehrzahl

Einzahl (Singular)	Mehrzahl (Plural)
der Band *(Buch)*	die Bände
das Band *(Bindfaden, Gewebestreifen)*	die Bänder
das Band *(Fessel)*	die Bande
die Bande *(z. B. Räuberbande)*	die Banden
das Band *(herzliches Einvernehmen)*	die Bande (z. B. zarte Bande)
der Bauer *(Landmann)*	die Bauern
das Bauer *(Käfig)*	die Bauer
der Bund *(Bündnis)*	die Bünde
das Bund *(Bündel)*	die Bunde
der Flur *(Wohnung)*	die Flure
die Flur *(Feld)*	die Fluren
der Kiefer *(am Kopf)*	die Kiefer
die Kiefer *(Baum)*	die Kiefern
der Leiter *(Anführer)*	die Leiter
die Leiter *(zum Steigen)*	die Leitern
der Mangel *(Entbehrung, Fehler)*	die Mängel
die Mangel *(Wäschemangel)*	die Mangeln
der Marsch *(Wanderung, Gang)*	die Märsche
die Marsch *(Landstrich)*	die Marschen
der Schild *(Abwehr)*	die Schilde
das Schild *(z. B. Verkehrsschild)*	die Schilder
der Sproß *(Nachkomme)*	die Sprosse
die Sprosse *(Stufe an der Leiter)*	die Sprossen
die Steuer *(Abgabe)*	die Steuern
das Steuer *(zum Lenken)*	die Steuer
der Stift *(kleiner Nagel, Bleistift, Lehrling)*	die Stifte
das Stift *(Kloster, Altersheim)*	die Stifte
der Tor *(Narr)*	die Toren
das Tor *(Einfahrt)*	die Tore
die Wehr *(z. B. Feuerwehr)*	die Wehren
das Wehr *(im Wasser)*	die Wehre

Gleichlautende Hauptwörter (Substantive) mit verschiedener Bedeutung

Einzahl ist gleich, die Mehrzahl hat unterschiedliche Formen und unterschiedliche Bedeutungen

Einzahl	Mehrzahl
die Bank	die Bänke *(zum Sitzen)* die Banken *(Geldinstitute)*
der Bau	die Baue *(Tierwohnungen)* die Bauten *(Bauwerke)*
der Bogen	die Bögen, die Bogen *(Kurven)* die Bogen *(Papier)*
das Gesicht	die Gesichter *(Antlitze)* die Gesichte *(Erscheinungen)*
das Licht	die Lichter *(Flammen)* die Lichte *(Kerzen)*
der Mann	die Männer *(Personen schlechthin)* die Mannen *(Gefolgsleute)*
die Mutter	die Mütter *(weibliches Geschlecht. Elternteil)* die Muttern *(Schrauben)*
der Rat	die Räte *(Ratgeber)* die Ratschläge *(Vorschläge)*
der Strauß	die Sträuße *(Blumen)* die Strauße *(Vögel)*
das Tuch	die Tücher *(kleine Webstücke)* die Tuche *(Stoffe)*
das Wort	die Wörter *(einzelne Wörter)* die Worte *(Zusammenhänge)*

Das Zeitwort (Verb) mit seinen Formen

(Eine Übersicht)

Person und Zahl

Einzahl (Singular) = ich, du, er, sie, es — wir, ihr, sie = **Mehrzahl (Plural)**

ich, wir = redende Personen
du, ihr, (Sie, Ihnen) = angesprochene Personen
er, sie, es, (Mehrzahl: sie) = Personen, von denen gesprochen wird

Jede Handlung spielt sich in einer bestimmten Zeit ab
(die Zeitformen, die Tempora)

Gegenwart	**Vergangenheit**	**Zukunft**
(Präsens)	(Imperfekt)	(Futur I)
ich rufe	ich rief	ich werde rufen
Vollendete Gegenwart	**Vollendete Vergangenheit**	**Vollendete Zukunft**
(Perfekt)	(Plusquamperfekt)	(Futur II)
ich habe gerufen	ich hatte gerufen	ich werde gerufen haben

Die Aussageweise (der Modus) über die Handlung

Wirklichkeitsform	**Möglichkeitsform**	**Befehlsform**
(Indikativ)	(Konjunktiv)	(Imperativ)
(die Handlung wird als wirklich hingestellt)	(die Handlung wird als möglich, als erwünscht hingestellt)	(die Handlung äußert sich als Befehl)
er schläft	wenn er doch schliefe, er möge schlafen	schlaf! schlaft!

Die Handlung geht vom Satzgegenstand (Subjekt) aus oder trifft ihn
(die Handlungsarten — Genera verbi)

Tatform (Aktiv)
ich schlage

Leideform (Passiv)
ich werde geschlagen

Hinzu kommen die beiden Formen:

Grundform (Infinitiv)
schlagen

Mittelwort (Partizip)
1. *der Gegenwart* (Partizip Präsens) schlagend
2. *der Vergangenheit* (Partizip Perfekt) geschlagen

Beugung (Konjugation) des Hilfszeitwortes (Hilfsverbs) „sein“

	Wirklichkeitsform (Indikativ) Gegenwart (Präsens)	Wirklichkeitsform (Indikativ) Voll. Gegenwart (Perfekt)	Möglichkeitsform (Konjunktiv) Gegenwart (Präsens)	Möglichkeitsform (Konjunktiv) Voll. Gegenwart (Perfekt)
ich	bin	bin gewesen	sei	sei gewesen
du	bist	bist gewesen	sei[e]st	sei[e]st gewesen
er, sie, es	ist	ist gewesen	sei	sei gewesen
wir	sind	sind gewesen	seien	seien gewesen
ihr	seid	seid gewesen	seiet	seiet gewesen
sie	sind	sind gewesen	seien	seien gewesen
	Vergangenheit (Imperfekt)	**Voll. Vergangenheit (Plusquamperfekt)**	**Vergangenheit (Imperfekt)**	**Voll. Vergangenheit (Plusquamperfekt)**
ich	war	war gewesen	wäre	wäre gewesen
du	warst	warst gewesen	wärest	wärest gewesen
er, sie, es	war	war gewesen	wäre	wäre gewesen
wir	waren	waren gewesen	wären	wären gewesen
ihr	war[e]t	war[e]t gewesen	wäret	wäret gewesen
sie	waren	waren gewesen	wären	wären gewesen
	Zukunft (Futur I)	**Voll. Zukunft (Futur II)**	**Zukunft (Futur I)**	**Voll. Zukunft (Futur II)**
ich	werde sein	werde gewesen sein	werde sein	werde gewesen sein
du	wirst sein	wirst gewesen sein	werdest sein	werdest gewesen sein
er, sie, es	wird sein	wird gewesen sein	werde sein	werde gewesen sein
wir	werden sein	werden gewesen sein	werden sein	werden gewesen sein
ihr	werdet sein	werdet gewesen sein	werdet sein	werdet gewesen sein
sie	werden sein	werden gewesen sein	werden sein	werden gewesen sein

Befehlsform (Imperativ)

Einzahl (Singular): sei! } **Sie-Form:**
Mehrzahl (Plural): seid! } seien Sie!

Grundform (Infinitiv)

Gegenwart (Präsens): sein
Vergangenheit (Perfekt): gewesen sein

Mittelwort (Partizip)

Gegenwart (Präsens): (seiend)
Vergangenheit (Perfekt): gewesen

Bedingte Möglichkeit[1] (der Konditional)

ich würde sein
du würdest sein
er, sie, es würde sein
wir würden sein
ihr würdet sein
sie würden sein

[1] **Anmerkung:**
Eine Abart der Möglichkeitsform der Vergangenheit (des Konjunktivs Imperfekt)

Beugung (Konjugation) des Hilfszeitwortes (Hilfsverbs) „haben“

	Wirklichkeitsform (Indikativ)		Möglichkeitsform (Konjunktiv)	
	Gegenwart (Präsens)	**Voll. Gegenwart (Perfekt)**	**Gegenwart (Präsens)**	**Voll. Gegenwart (Perfekt)**
ich	habe	habe gehabt	habe	habe gehabt
du	hast	hast gehabt	habest	habest gehabt
er, sie, es	hat	hat gehabt	habe	habe gehabt
wir	haben	haben gehabt	haben	haben gehabt
ihr	habt	habt gehabt	habet	habet gehabt
sie	haben	haben gehabt	haben	haben gehabt
	Vergangenheit (Imperfekt)	**Voll. Vergangenheit (Plusquamperfekt)**	**Vergangenheit (Imperfekt)**	**Voll. Vergangenheit (Plusquamperfekt)**
ich	hatte	hatte gehabt	hätte	hätte gehabt
du	hattest	hattest gehabt	hättest	hättest gehabt
er, sie, es	hatte	hatte gehabt	hätte	hätte gehabt
wir	hatten	hatten gehabt	hätten	hätten gehabt
ihr	hattet	hattet gehabt	hättet	hättet gehabt
sie	hatten	hatten gehabt	hätten	hätten gehabt
	Zukunft (Futur I)	**Voll. Zukunft (Futur II)**	**Zukunft (Futur I)**	**Voll. Zukunft (Futur II)**
ich	werde haben	werde gehabt haben	werde haben	werde gehabt haben
du	wirst haben	wirst gehabt haben	werdest haben	werdest gehabt haben
er, sie, es	wird haben	wird gehabt haben	werde haben	werde gehabt haben
wir	werden haben	werden gehabt haben	werden haben	werden gehabt haben
ihr	werdet haben	werdet gehabt haben	werdet haben	werdet gehabt haben
sie	werden haben	werden gehabt haben	werden haben	werden gehabt haben

Befehlsform (Imperativ)

Einzahl (Singular): habe!
Mehrzahl (Plural): hab[e]t!
Sie-Form: haben Sie!

Grundform (Infinitiv)

Gegenwart (Präsens): haben
Vergangenheit (Perfekt): gehabt haben

Mittelwort (Partizip)

Gegenwart (Präsens): (habend)
Vergangenheit (Perfekt): gehabt

Bedingte Möglichkeit[1] (der Konditional)

ich würde haben
du würdest haben
er, sie es würde haben
wir würden haben
ihr würdet haben
sie würden haben

[1] **Anmerkung:**
Eine Abart der Möglichkeitsform der Vergangenheit (des Konjunktivs Imperfekt)

Beugung (Konjugation) des Hilfszeitwortes (Hilfsverbs) „werden"

	Wirklichkeitsform (Indikativ)		Möglichkeitsform (Konjunktiv)	
	Gegenwart (Präsens)	**Voll. Gegenwart (Perfekt)**	**Gegenwart (Präsens)**	**Voll. Gegenwart (Perfekt)**
ich	werde	bin [ge] worden	werde	sei [ge] worden
du	wirst	bist [ge] worden	werdest	seiest [ge] worden
er, sie, es	wird	ist [ge] worden	werde	sei [ge] worden
wir	werden	sind [ge] worden	werden	seien [ge] worden
ihr	werdet	seid [ge] worden	werdet	seiet [ge] worden
sie	werden	sind [ge] worden	werden	seien [ge] worden
	Vergangenheit (Imperfekt)	**Voll. Vergangenheit (Plusquamperfekt)**	**Vergangenheit (Imperfekt)**	**Voll. Vergangenheit (Plusquamperfekt)**
ich	wurde	war [ge] worden	würde	wäre [ge] worden
du	wurdest	warst [ge] worden	würdest	wärest [ge] worden
er, sie, es	wurde	war [ge] worden	würde	wäre [ge] worden
wir	wurden	waren [ge] worden	würden	wären [ge] worden
ihr	wurdet	war[e]t [ge] worden	würdet	wäret [ge] worden
sie	wurden	waren [ge] worden	würden	wären [ge] worden
	Zukunft (Futur I)	**Voll. Zukunft (Futur II)**	**Zukunft (Futur I)**	**Voll. Zukunft (Futur II)**
ich	werde werden	werde [ge] worden sein	werde werden	werde [ge] worden sein
du	wirst werden	wirst [ge] worden sein	werdest werden	werdest [ge] worden sein
er, sie, es	wird werden	wird [ge] worden sein	werde werden	werde [ge] worden sein
wir	werden werden	werden [ge] worden sein	werden werden	werden [ge] worden sein
ihr	werdet werden	werdet [ge] worden sein	werdet werden	werdet [ge] worden sein
sie	werden werden	werden [ge] worden sein	werden werden	werden [ge] worden sein

Befehlsform (Imperativ)

Einzahl (Singular): werde! } **Sie-Form:**
Mehrzahl (Plural): werdet! } werden Sie!

Grundform (Infinitiv)

Gegenwart (Präsens): werden
Vergangenheit (Perfekt): [ge]worden sein

Mittelwort (Partizip)

Gegenwart (Präsens): (werdend)
Vergangenheit (Perfekt): [ge]worden

Bedingte Möglichkeit[1] (der Konditional)

ich würde werden
du würdest werden
er, sie, es würde werden
wir würden werden
ihr würdet werden
sie würden werden

[1] **Anmerkung:** Eine Abart der Möglichkeitsform der Vergangenheit (des Konjunktivs Imperfekt)

Beugung (Konjugation) eines schwachen Zeitwortes (Verbs)

Tatform (Aktiv)

Wirklichkeitsform (Indikativ)

Gegenwart (Präsens)

ich frage	wir fragen
du fragst	ihr fragt
er, sie, es fragt	sie fragen

Vergangenheit (Imperfekt)

ich fragte	wir fragten
du fragtest	ihr fragtet
er, sie, es fragte	sie fragten

Zukunft (Futur I)

ich werde fragen	wir werden fragen
du wirst fragen	ihr werdet fragen
er, sie, es wird fr.	sie werden fragen

Vollendete Gegenwart (Perfekt)

ich habe gefragt	wir haben gefragt
du hast gefragt	ihr habt gefragt
er, sie, es hat gefr.	sie haben gefragt

Vollendete Vergangenheit (Plusquamperfekt)

ich hatte gefragt
du hattest gefragt
er, sie, es hatte gefragt
wir hatten gefragt
ihr hattet gefragt
sie hatten gefragt

Vollendete Zukunft (Futur II)

ich werde gefragt haben
du wirst gefragt haben
er, sie, es wird gefragt haben
wir werden gefragt haben
ihr werdet gefragt haben
sie werden gefragt haben

Möglichkeitsform (Konjunktiv)

Gegenwart (Präsens)

ich frage	wir fragen
du fragest	ihr frag[e]t
er, sie, es frage	sie fragen

Vergangenheit (Imperfekt)

ich fragte	wir fragten
du fragtest	ihr fragtet
er, sie, es fragte	sie fragten

Zukunft (Futur I)

ich werde fragen	wir werden fragen
du werdest fragen	ihr werdet fragen
er, sie, es werde fr.	sie werden fragen

Vollendete Gegenwart (Perfekt)

ich habe gefragt	wir haben gefragt
du habest gefragt	ihr habet gefragt
er, sie, es habe gefr.	sie haben gefragt

Vollendete Vergangenheit (Plusquamperfekt)

ich hätte gefragt
du hättest gefragt
er, sie, es hätte gefragt
wir hätten gefragt
ihr hättet gefragt
sie hätten gefragt

Vollendete Zukunft (Futur II)

ich werde gefragt haben
du werdest gefragt haben
er, sie, es werde gefragt haben
wir werden gefragt haben
ihr werdet gefragt haben
sie werden gefragt haben

Befehlsform (Imperativ)

Einzahl (Singular):	frage!	Sie-Form:
Mehrzahl (Plural):	fragt!	fragen Sie!

Grundform (Infinitiv)

Gegenwart (Präsens):	fragen
Vergangenheit (Perfekt):	gefragt haben

Mittelwort (Partizip)

Gegenwart (Präsens):	fragend
Vergangenheit (Perfekt):	gefragt

Bedingte Möglichkeit[1] (der Konditional)

ich würde fragen
du würdest fragen
er, sie, es würde fragen
wir würden fragen
ihr würdet fragen
sie würden fragen

[1] **Anmerkung:**
Eine Abart der Möglichkeitsform der Vergangenheit (des Konjunktivs Imperfekt)

Beugung (Konjugation) eines schwachen Zeitwortes (Verbs)

Leideform (Passiv)

Wirklichkeitsform (Indikativ)	Möglichkeitsform (Konjunktiv)
Gegenwart (Präsens)	**Gegenwart (Präsens)**
ich werde gefragt	ich werde gefragt
du wirst gefragt	du werdest gefragt
er, sie, es wird gefragt	er, sie, es werde gefragt
wir werden gefragt	wir werden gefragt
ihr werdet gefragt	ihr werdet gefragt
sie werden gefragt	sie werden gefragt
Vergangenheit (Imperfekt)	**Vergangenheit (Imperfekt)**
ich wurde gefragt	ich würde gefragt
du wurdest gefragt	du würdest gefragt
er, sie, es wurde gefragt	er, sie, es würde gefragt
wir wurden gefragt	wir würden gefragt
ihr wurdet gefragt	ihr würdet gefragt
sie wurden gefragt	sie würden gefragt
Zukunft (Futur I)	**Zukunft (Futur I)**
ich werde gefragt werden	ich werde gefragt werden
du wirst gefragt werden	du werdest gefragt werden
er, sie, es wird gefragt werden	er, sie, es werde gefragt werden
wir werden gefragt werden	wir werden gefragt werden
ihr werdet gefragt werden	ihr werdet gefragt werden
sie werden gefragt werden	sie werden gefragt werden
Vollendete Gegenwart (Perfekt)	**Vollendete Gegenwart (Perfekt)**
ich bin gefragt worden	ich sei gefragt worden
du bist gefragt worden	du seiest gefragt worden
er, sie, es ist gefragt worden	er, sie, es sei gefragt worden
wir sind gefragt worden	wir seien gefragt worden
ihr seid gefragt worden	ihr seiet gefragt worden
sie sind gefragt worden	sie seien gefragt worden
Vollendete Vergangenheit (Plusquamperfekt)	**Vollendete Vergangenheit (Plusquamperfekt)**
ich war gefragt worden	ich wäre gefragt worden
du warst gefragt worden	du wärest gefragt worden
er, sie, es war gefragt worden	er, sie, es wäre gefragt worden
wir waren gefragt worden	wir wären gefragt worden
ihr waret gefragt worden	ihr wäret gefragt worden
sie waren gefragt worden	sie wären gefragt worden
Vollendete Zukunft (Futur II)	**Vollendete Zukunft (Futur II)**
ich werde gefragt worden sein	ich werde gefragt worden sein
du wirst gefragt worden sein	du werdest gefragt worden sein
er, sie, es wird gefragt worden sein	er, sie, es werde gefragt worden sein
wir werden gefragt worden sein	wir werden gefragt worden sein
ihr werdet gefragt worden sein	ihr werdet gefragt worden sein
sie werden gefragt worden sein	sie werden gefragt worden sein

Befehlsform (Imperativ)	**Bedingte Möglichkeit[1] (der Konditional)**
Einzahl (Singular): sei (werde) gefragt! **Mehrzahl (Plural):** seid (werdet) gefragt!	ich würde du würdest er, sie, es würde wir würden ihr würdet sie würden } gefragt werden
Grundform (Infinitiv) **Gegenwart (Präsens):** gefragt werden **Vergangenheit (Perfekt):** gefragt worden sein	
Mittelwort (Partizip) **Vergangenheit (Perfekt):** gefragt	[1] **Anmerkung:** Eine Abart der Möglichkeitsform der Vergangenheit (des Konjunktivs Imperfekt)

Möglichkeitsform (Konjunktiv) — Gegenwart und Vergangenheit — von „können", „dürfen", „mögen", „lassen" (Modalverben)

		können	**dürfen**	**mögen**	**lassen**
Gegenwart (Präsens)	ich	könne	dürfe	möge	—
	du	könnest	dürfest	mögest	lassest
	er, sie, es	könne	dürfe	möge	lasse
	wir	—	—	—	—
	ihr	könnet	dürfet	möget	lasset
	sie	—	—	—	—
Vergangenheit (Imperfekt)	ich	könnte	dürfte	möchte	ließe
	du	könntest	dürftest	möchtest	ließest
	er, sie, es	könnte	dürfte	möchte	ließe
	wir	könnten	dürften	möchten	ließen
	ihr	könntet	dürftet	möchtet	ließet
	sie	könnten	dürften	möchten	ließen

Beachte! Die ausgelassenen Formen werden nicht gebraucht. Dafür treten die entsprechenden Formen der Vergangenheit ein. Das gilt auch für die folgenden Beugungen (Konjugationen).

Beugung (Konjugation) des starken Zeitwortes (Verbs) „schlagen" (zielend—transitiv)

	Tatform (Aktiv)		*Leideform (Passiv)*	
	Wirklichkeit (Indikativ)	**Möglichkeit (Konjunktiv)**	**Wirklichkeit (Indikativ)**	**Möglichkeit (Konjunktiv)**
	Gegenwart (Präsens)		**Gegenwart (Präsens)**	
ich	schlage	—	werde } geschlagen	—
du	schlägst	schlagest	wirst	werdest geschl.
er	schlägt	schlage	wird	werde geschlagen
wir	schlagen	—	werden	—
ihr	schlagt	schlaget	werdet	—
sie	schlagen	—	werden	—

	Tatform (Aktiv)		*Leideform (Passiv)*	
	Wirklichkeit (Indikativ)	**Möglichkeit (Konjunktiv)**	**Wirklichkeit (Indikativ)**	**Möglichkeit (Konjunktiv)**
	Vergangenheit (Imperfekt)		**Vergangenheit (Imperfekt)**	
ich	schlug	schlüge	wurde	würde
du	schlugst	schlügest	wurdest	würdest
er	schlug	schlüge	wurde geschla-	würde geschla-
wir	schlugen	schlügen	wurden gen	würden gen
ihr	schlugt	schlüget	wurdet	würdet
sie	schlugen	schlügen	wurden	würden
	Zukunft (Futur I)		**Zukunft (Futur I)**	
ich	werde	—	werde geschlagen	— geschl.
du	wirst schlagen	werdest schlagen	wirst werden	werdest werden
er	wird usw.	werde usw.	wird usw.	werde usw.
	Voll. Gegenwart (Perfekt)		**Voll. Gegenwart (Perfekt)**	
ich	habe geschlagen	—	bin geschlagen	sei geschl.
du	hast geschl. usw.	habest geschl. usw.	bist worden usw.	sei[e]st w. usw.
	Voll. Vergangenheit (Plusquamperfekt)		**Voll. Vergangenheit (Plusquamperfekt)**	
ich	hatte geschlagen usw.	hätte geschlagen usw.	war geschlagen worden	wäre geschlagen worden
	Voll. Zukunft (Futur II)		**Voll. Zukunft (Futur II)**	
ich	werde geschlagen	—	werde geschlagen	—
du	wirst haben	werdest geschl.	wirst worden	werdest geschl.
	usw.	haben	sein	worden sein

Befehlsform (Imperativ): schlag[e]! schlag[e]t! **Sie-Form:** schlagen Sie!

Anmerkung: Zielende (transitive) Zeitwörter werden in den vollendeten Formen des Aktivs mit „haben“ gebildet, nichtzielende (intransitive) mit „sein“.

Beugung des starken Zeitwortes „fahren“ (nichtzielende — intransitive Form)

	Tatform (Aktiv)		*Leideform (Passiv)*	
	Wirklichkeit (Indikativ)	**Möglichkeit (Konjunktiv)**	**Wirklichkeit (Indikativ)**	**Möglichkeit (Konjunktiv)**
	Gegenwart (Präsens)		**Gegenwart (Präsens)**	
ich	fahre	—	werde	—
du	fährst	fahrest	wirst	werdest gefahren
er	fährt	fahre	wird gefah-	werde
wir	fahren	—	werden ren	—
ihr	fahrt	fahret	werdet	—
sie	fahren	—	werden	—
	Vergangenheit (Imperfekt)		**Vergangenheit (Imperfekt)**	
ich	fuhr	führe	wurde	würde
du	fuhrst	führest	wurdest	würdest
er	fuhr	führe	wurde gefah-	würde gefah-
wir	fuhren	führen	wurden ren	würden ren
ihr	fuhr[e]t	führet	wurdet	würdet
sie	fuhren	führen	wurden	würden

	Tatform (Aktiv)		*Leideform (Passiv)*	
	Wirklichkeit (Indikativ)	**Möglichkeit (Konjunktiv)**	**Wirklichkeit (Indikativ)**	**Möglichkeit (Konjunktiv)**
	Zukunft (Futur I)		**Zukunft (Futur I)**	
ich	werde	—	werde gefahren	—
du	wirst fahren	werdest fahren	wirst werden	werdest gefahren werden
er	wird usw.	werde	wird usw.	werde
	Voll. Gegenwart (Perfekt)		**Voll. Gegenwart (Perfekt)**	
ich	bin gefahren usw.	sei gefahren usw.	bin gef. worden	sei gef. worden
	Voll. Vergangenheit (Plusquamperfekt)		**Voll. Vergangenheit (Plusquamperfekt)**	
ich	war gef. usw.	wäre gef. usw.	war gef. worden	wäre gef. worden
	Voll. Zukunft (Futur II)		**Voll. Zukunft (Futur II)**	
ich	werde gefahren	—	werde gef. wor-	—
du	wirst sein	werdest gefahren sein	wirst den sein	werdest gef. worden sein
er	wird usw.	werde	wird usw.	werde

Befehlsform (Imperativ): fahr[e]! fahr[e]t! **Sie-Form:** fahren Sie!

Anmerkung: Das **zielende (transitive)** Zeitwort „fahren“ wird mit „haben“ gebeugt.
Beispiel: Ich habe **den Wagen** gefahren.

Kennzeichen der schwachen und starken Beugung (Konjugation)

(Nur wenige Zeitwörter [Verben] werden **gemischt** oder **unregelmäßig** gebeugt [konjugiert]).

schwache Beugung (Konjugation)	starke Beugung (Konjugation)
1. Der Stammselbstlaut der Grundform (des Infinitivs) bleibt in allen Formen unverändert. 2. Die Endungen der Vergangenheit (des Imperfekts) beginnen mit **-t** oder **-et.** 3. Das Mittelwort der Vergangenheit (Partizip Perfekt) endet auf **-t** oder **-et.** Beispiele: **loben** — lobte — gelobt **gründen** — gründete — gegründet	1. Der Stammselbstlaut wird durch Ablaut (das ist der gesetzmäßige Wechsel des Stammselbstlautes) oder Umlaut verändert. 2. Die 1. und 3. Person der Vergangenheit (Imperfekt — Indikativ) bleiben ohne Endung. 3. Das Mittelwort der Vergangenheit (Partizip Perfekt) endet auf **-en.** Beispiel: **binden** — **band** — **gebunden**; er bände

Ablautreihen

(Der Ablaut ist das wesentliche Kennzeichen der starken Zeitwörter [Verben])

Die wichtigsten Ablautreihen sind folgende:

1. **ei — i — i:** beißen — biß — gebissen

gleichen, gleiten, greifen, kneifen, pfeifen, reiten, schleichen, schleifen (= schärfen), schmeißen, schneiden, schreiten, streichen, streiten, verbleichen, weichen u. a.

2. **ie — o — o:** bieten — bot — geboten

biegen, fliegen, fliehen, fließen, frieren, genießen, gießen, kriechen, riechen, schließen, schießen, sieden (auch: siedete, gesiedet), sprießen (= hervorwachsen), verdrießen, verlieren, ziehen u. a.

3. i — a — u: finden — fand — gefunden

binden, dringen, gelingen, klingen, mißlingen, ringen, schlingen, schwinden, schwingen, singen, sinken, springen, stinken, trinken, winden, wringen u. a.

4. e — a — o: helfen — half — geholfen

befehlen, bergen, bersten, brechen, empfehlen, erschrecken (= in Schrecken geraten), gelten, nehmen, schelten, sprechen, stechen, stehlen, sterben, treffen, verderben, werben, werfen u. a.

5. e — a — e: lesen — las — gelesen

essen, fressen, geben, geschehen, messen, sehen, treten, vergessen u. a.

6. a — u — a: schlagen — schlug — geschlagen

backen, fahren, graben, laden, tragen, wachsen, waschen u. a.

7. ei — ie — ie: treiben — trieb — getrieben

bleiben, gedeihen, leihen, meiden, preisen, reiben, scheiden, scheinen, schreiben, schreien, schweigen, speien, steigen, verzeihen, weisen, zeihen u. a.

8. i — a — o: spinnen — spann — gesponnen / beginnen, gewinnen, rinnen u. a.

9. a — ie — a: blasen — blies — geblasen / braten, fallen, halten, lassen, raten u. a.

10. e — o — o: dreschen — drosch — gedroschen

fechten, flechten, heben, schmelzen (= flüssig werden) u. a.

Zeitwörter mit gleichlautender Grundform, aber mit zwei Abwandlungen

1. mit gleicher Bedeutung (die unterstrichenen Formen sind am gebräuchlichsten)

stieben	stob	— gestoben	**triefen**	troff	— getroffen
	stiebte	— gestiebt		triefte	— getrieft
glimmen	glomm	— geglommen	**backen**	buk	— gebacken
	glimmte	— geglimmt	(Brot usw.)	backte	— gebacken
melken	molk	— gemelkt und			
	melkte	— gemolken			

2. mit verschiedener Bedeutung

bewegen	bewegte	— bewegt	*(in Bewegung setzen)*
	bewog	— bewogen	*(veranlassen)*
wiegen[1]	wiegte	— gewiegt	*(schaukeln)*
	wog	— gewogen	*(das Gewicht feststellen, auch: ein Gewicht haben)*
schaffen	schaffte	— geschafft	*(arbeiten)*
	schuf	— geschaffen	*(entstehen lassen)*
scheren	scherte	— geschert	*(sich um etwas kümmern)*
	schor	— geschoren	*(abschneiden)*
schleifen	schleifte	— geschleift	*(über den Boden ziehen, mit dem Erdboden gleichmachen, hängenlassen)*
	schliff	— geschliffen	*(schärfen)*
gären	gärte	— gegärt	*(erregt sein)*
	gor	— gegoren	*(Wein, Bier, Most)*
bleichen	bleichte	— gebleicht	*(bleich machen)*
	blich	— geblichen	*(bleich werden,* gebräuchlich meist nur: aus-, er-, verbleichen)
senden	sandte	— gesandt	*(etwas schicken)*
	sendete	— gesendet	*(Rundfunk, Fernsehen)*
schwellen	schwellte	— geschwellt	*(Wind → Segel)*
	schwoll	— geschwollen	*(etwas vergrößert sich)*
quellen	quellte	— gequellt	*(größer werden lassen)*
	quoll	— gequollen	*(herausströmen)*
pflegen	pflegte	— gepflegt	*(versorgen)*
	pflog	— gepflogen	*(Verhandlungen pflegen)*
erschrecken	erschreckte	— erschreckt	*(jemanden in Schrecken setzen)* sich erschrecken
	erschrak	— erschrocken	*(in Schrecken geraten)* ist umgangssprachlich

wenden (umdrehen, umkehren): wendete, hat gewendet den Anzug, das Auto — **wenden** (im übertragenen Sinne): sie hat seinen Sinn gewendet oder gewandt; die Lage wendete oder wandte sich zum Guten; er wendete oder wandte sich an seinen Freund.

---

[1] Für „Gewicht feststellen" ist auch „wägen" gebräuchlich: du wägst; du wogst; du wögest; gewogen; wäg[e]!

Abwandlung und Möglichkeitsform einer Reihe starker Zeitwörter (Verben)

Anmerkung: { = beide Formen sind richtig.

Grundform (Infinitiv)	Vergangenheit (Imperfekt)	Mittelw. der Verg. (Partizip Perfekt)	Mögl. der Verg. (Konj. Imperf.)
befehlen (befiehl!)	befahl	befohlen	beföhle
beginnen	begann	begonnen	{ begönne / begänne
bergen (birg!)	barg	geborgen	{ bärge / bürge
biegen	bog	gebogen	böge
bieten	bot	geboten	böte
binden	band	gebunden	bände
braten	briet	gebraten	briete
dringen	drang	gedrungen	dränge
empfehlen (empfiehl!)	empfahl	empfohlen	{ empföhle / empfähle
fahren	fuhr	gefahren	führe
flechten (flicht!)	flocht	geflochten	flöchte
gedeihen	gedieh	gediehen	gediehe
gelten	galt	gegolten	{ gölte / gälte
gewinnen	gewann	gewonnen	{ gewönne / gewänne
graben	grub	gegraben	grübe
heben	hob	gehoben	höbe
helfen (hilf!)	half	geholfen	hülfe
klingen	klang	geklungen	klänge
kneifen	kniff	gekniffen	kniffe
lesen (lies!)	las	gelesen	läse
lügen	log	gelogen	löge
messen (miß!)	maß	gemessen	mäße
nehmen (nimm!)	nahm	genommen	nähme
raten	riet	geraten	riete
reiben	rieb	gerieben	riebe
riechen	roch	gerochen	röche
rinnen	rann	geronnen	{ rönne / ränne
schaffen	schuf	geschaffen	schüfe
schelten (schilt!)	schalt	gescholten	{ schölte / schälte
schießen	schoß	geschossen	schösse
schleichen	schlich	geschlichen	schliche
schneiden	schnitt	geschnitten	schnitte
schweigen	schwieg	geschwiegen	schwiege
schwimmen	schwamm	geschwommen	{ schwömme / schwämme
sehen (sieh!)	sah	gesehen	sähe
sinken	sank	gesunken	sänke
spinnen	spann	gesponnen	{ spönne / spänne
sprechen (sprich!)	sprach	gesprochen	spräche
stehen	stand	gestanden	{ stände / stünde
sterben (stirb!)	starb	gestorben	stürbe
tragen	trug	getragen	trüge
treten (tritt!)	trat	getreten	träte
vergessen (vergiß!)	vergaß	vergessen	vergäße
verlieren	verlor	verloren	verlöre
verzeihen	verzieh	verziehen	verziehe
waschen	wusch	gewaschen	wüsche
weisen	wies	gewiesen	wiese
werben (wirb!)	warb	geworben	würbe
werfen (wirf!)	warf	geworfen	würfe
ziehen	zog	gezogen	zöge
zwingen	zwang	gezwungen	zwänge

Beachte die Befehlsformen (Imperative) in Spalte 1! Merke auch: brich! — iß! — schmilz! — triff!

Die Fallsetzung gebräuchlicher Zeitwörter (Verben)

(Zeitwörter [Verben], die den 4. Fall [Akkusativ] erfordern, heißen zielende — transitive — alle übrigen sind nichtzielende — intransitive)

1. Den 2. Fall (Genitiv) „regieren“:

a) *Zeitwörter (Verben) schlechthin*

achten	brauchen	ermangeln	gedenken	pflegen	vergessen
bedürfen	entbehren	erwähnen	genießen	schonen	walten
begehren	entwöhnen	frohlocken	harren	spotten	warten

Beachte! Vorstehende Zeitwörter werden zumeist nur in der gehobenen Sprache mit dem 2. Fall verbunden. Im allgemeinen verbindet man sie mit dem 4. Fall oder mit einem Verhältniswort.

b) *Der 2. Fall (Genitiv) in Redewendungen*

seines Weges ziehen — es verlohnt sich der Mühe — Hungers sterben — eines plötzlichen, langsamen, schrecklichen Todes sterben — seines Glaubens leben — anderer Meinung werden — frohes (frohen) Sinnes werden — des Glaubens sein — guter Dinge sein — willens sein

c) *Der 2. Fall (Genitiv) nach rückbezüglichen Zeitwörtern (reflexiven Verben)*

sich annehmen	sich befleißigen	sich enthalten	sich erbarmen	sich erinnern	sich schämen
sich bedienen	sich bemächtigen	sich entledigen	sich erfreuen	sich rühmen	sich wehren

2. Den 3. Fall (Dativ) regieren:

a) *Zeitwörter (Verben) schlechthin*

ähneln	dienen	folgen	gehören	huldigen	schmeicheln
antworten	drohen	frommen	genügen	lohnen	trotzen
begegnen	entfliehen	frönen	glauben	nützen	weichen
befehlen	entsagen	gefallen	gleichen	raten	winken
danken	fluchen	gehorchen	helfen	schaden	zürnen

Hierhin gehören auch viele Zeitwörter (Verben), die mit den **Verhältniswörtern (Präpositionen) an, auf, bei, entgegen, wider, nach, unter, vor** und **zu** zusammengesetzt sind.

b) *unpersönliche Zeitwörter (impersonale Verben)*

es ahnt	es behagt	es fehlt	es graut	es schmeckt	leid tun
es bangt	es beliebt	es gefällt	es scheint	es träumt	zumute sein

c) *rückbezügliche Zeitwörter (reflexive Verben)*

sich empfehlen	sich einbilden	sich erlauben	sich gestatten	sich vornehmen	sich vorstellen

3. Den 4. Fall (Akkusativ) „regieren“ zielende (transitive) Zeitwörter (Verben):

a) *Zeitwörter (Verben) schlechthin*

beißen	bestrafen	fangen	loben	schlagen	verachten
bekommen	bewundern	füllen	kennen	senken	verdienen
bemühen	ehren	fühlen	prüfen	stoßen	werfen
beneiden	empfangen	leiten	retten	suchen	zerstören
benutzen	erwarten	lieben	richten	tadeln	zertrümmern

b) *rückbezügliche Zeitwörter (reflexive Verben)*

sich ängstigen	sich äußern	sich bekümmern	sich entsetzen	sich grämen	sich täuschen
sich ärgern	sich beklagen	sich betrüben	sich erzürnen	sich härmen	sich winden

c) *Den doppelten 4. Fall (Akkusativ) erfordern:*

lehren	nennen	schelten	schimpfen

4. Den 4. Fall (Akkusativ) der Person und den 2. Fall (Genitiv) der Sache erfordern:

anklagen	beschuldigen	berauben	entheben	überführen	verweisen
belehren	bezichtigen	entbinden	entkleiden	versichern	würdigen

5. **Den 3. Fall (Dativ) und den 4. Fall (Akkusativ) erfordern:**

a) *Zeitwörter (Verben) schlechthin*

bieten	geben	leihen	opfern	schenken	stiften
borgen	glauben	leisten	raten	schulden	weihen
bringen	gönnen	liefern	rauben	senden	widmen
deuten	lassen	melden	reichen	stehlen	zeigen

b) *Zeitwörter (Verben) mit den Vorsilben (Präfixen) ab-, be-, ent-, er-, ge-, über-, ver-, vor-*

abbitten	beweisen	erteilen	geloben	übergeben	verzeihen
abgewöhnen	bezeigen	erweisen	gestatten	überreichen	vorhalten
bewilligen	entziehen	erzählen	gestehen	vergeben	vorreden
bescheren	erlauben	gebieten	gewähren	verweigern	vorsagen u. a.

c) *trennbar zusammengesetzte Zeitwörter (Verben), verbunden mit: ab, an, auf, bei, ein, entgegen, nach, über, unter, vor, zu*

abtreten	aufladen	eingeben	nachtragen	unterlegen	zuwenden
antragen	beifügen	entgegensetzen	übergeben	vorhalten	u. a.

Untrennbar zusammengesetzte Zeitwörter (echte Komposita)

1. **Zeitwörter (Verben) mit den Vorsilben (Präfixen):**

be-: bereiten, befehlen, besorgen u. a.
emp-: empfinden, empfehlen, empfangen
ent- (ant-): entgegnen, u. a. — antworten
er-: erlauben, erholen, erheben u. a.
ge-: geloben, gebieten, gefallen u. a.
miß-: mißtrauen, mißglücken, mißfallen u. a.
ver-: verlieren, verraten, verärgern u. a.
zer-: zerreißen, zertreten, zerstören u. a.

2. **Die fünf mit voll- zusammengesetzten Zeitwörter (Verben):**
vollbringen, vollenden, vollführen, vollstrecken, vollziehen

3. **Einige Zeitwörter (Verben) mit den Verhältniswörtern (Präpositionen) wider, hinter, z. B.**
widersetzen, widersprechen, widerstreben, widerraten, hinterbringen, hinterlassen, hinterlegen

4. **Verschiedene von Hauptwörtern (Substantiven) abgeleitete Zeitwörter (Verben), z. B.**
fuhrwerken, frühstücken, langweilen, maßregeln, wehklagen, wetteifern, wirtschaften

5. **Verschiedene Zeitwörter (Verben), deren Bestimmungswort ein Hauptwort (Substantiv) ist:**
brandmarken, brandschatzen, handhaben, lustwandeln, mutmaßen, notlanden, willfahren, wertschätzen, wetterleuchten u. a.

6. **Einige wenige Zeitwörter (Verben), deren Bestimmungswort ein Eigenschaftswort (Adjektiv) ist, z. B.**
frohlocken, liebäugeln, liebkosen, rechtfertigen, weissagen

Trennbar zusammengesetzte Zeitwörter (unechte Komposita)

1. **Alle Zeitwörter (Verben) mit einem betonten Umstandswort (Adverb) oder Verhältniswort (Präposition) als Bestimmungswort, z. B.**

abholen	**auf**geben	**ein**teilen	**vor**stellen	**wider**spiegeln
anlaufen	**bei**stehen	**heim**holen	**weg**nehmen	**zu**geben

2. **Fast alle Zeitwörter (Verben)** (beachte die untrennbaren Verben!), **deren Bestimmungswort ein betontes Eigenschafts- (Adjektiv) oder Umstandswort (Adverb) ist, z. B.**

blindschreiben	**fest**halten	**frei**sprechen	**kalt**stellen	**quer**legen
bloßstellen	**flach**halten	**glatt**hobeln	**klar**legen	**schwarz**hören
brachliegen	**flott**machen	**gut**sagen	**knapp**halten	**tot**schlagen
fernhalten	**fürlieb**nehmen	**heiß**laufen	**lahm**legen	**wahr**nehmen

3. **Alle Zeitwörter (Verben), die zusammengesetzt sind mit:**

aufrecht-	dahin-	einher-	entzwei-	herauf-	herein-	hinan-	hinzu-
bevor-	darauf-	empor-	herab-	heraus-	herzu-	hinauf-	voran-
daher-	darein-	entgegen-	heran-	herbei-	hinab-	hinein-	voraus-

4. **Folgende Zeitwörter (Verben), deren wörtliche Bedeutung zumeist verblaßt ist:**

achtgeben	haushalten	hohnsprechen	kundgeben	stattfinden
achthaben	heimfahren	inachtnehmen	maßhalten	teilhaben
fehlschlagen	hofhalten	kehrtmachen	preisgeben	teilnehmen
haltmachen	hohnlachen	kopfstehen	standhalten	u. ä.

Äußerlich gleiche Zeitwörter (Verben) mit wechselndem Gebrauch

Bestimmungswort betont = trennbar — Grundwort betont = untrennbar, z. B.

durch-	über-	um-	unter-	wieder-
durchbrechen	**über**setzen	**um**fahren	**unter**halten	**wieder**holen
durch**brechen**	über**setzen**	um**fahren**	unter**halten**	wieder**holen**
durchschneiden	**über**treten	**um**laufen	**unter**schlagen	**wieder**bringen
durch**schneiden**	über**treten**	um**laufen**	unter**schlagen**	wieder**bringen**

z. B. Er bricht durch den morschen Fußboden durch. — Das Wildschwein durchbricht das Dickicht.

Bewirkende (faktitive) Zeitwörter (Verben)

Beispielsatz: Der Schießmeister **sprengt** den Felsen. → Der Felsen springt.

dämpfen	→ (dampfen)	**säugen**	→ (saugen)	**sprengen**	→ (springen)
drängen	→ (dringen)	**schellen**	→ (schallen)	**tränken**	→ (trinken)
führen	→ (fahren)	**schwemmen**	→ (schwimmen)	**verschwenden**	→ (verschwinden)
flößen	→ (fließen)	**schwenken**	→ (schwingen)	**versenken**	→ (versinken)
lähmen	→ (lahmen)	**senken**	→ (sinken)	u. a.	
legen	→ (liegen)	**setzen**	→ (sitzen)		

Beugung (Deklination) des Eigenschaftswortes (Adjektivs)

Schwache Beugung (Anwendung: Das **bestimmte** Geschlechtswort oder die Fürwörter dieser, jener, mancher, solcher, welcher, jeder, derselbe stehen vor dem Eigenschaftswort. **Aber:** Nach manch, solch, welch folgt **starke** Beugung.)

	männlich (Maskulinum)	weiblich (Femininum)	sächlich (Neutrum)
Einzahl (Singular)	der teure Hut des teuren Hutes dem teuren Hut[e] den teuren Hut	die rote Nase der roten Nase der roten Nase die [rote] Nase	das arme Kind des armen Kindes dem armen Kind[e] das [arme] Kind
Mehrzahl (Plural)	die teuren Hüte der teuren Hüte den teuren Hüten die teuren Hüte	die roten Nasen der roten Nasen den roten Nasen die roten Nasen	die armen Kinder der armen Kinder den armen Kindern die armen Kinder

Starke Beugung (Anwendung: Das Eigenschaftswort hat **kein** Geschlechtswort oder Fürwort bei sich. **Beachte!** Nach einige, etliche, manche, viele, wenige u. a. ist die **starke** Beugung [Plural!] vorzuziehen.)

	männlich (Maskulinum)	weiblich (Femininum)	sächlich (Neutrum)
Einzahl (Singular)	teurer Hut teuren Hutes teurem Hut[e] teuren Hut	rote Nase roter Nase roter Nase rote Nase	armes Kind armen Kindes armem Kind[e] armes Kind
Mehrzahl (Plural)	teure Hüte teurer Hüte teuren Hüten teure Hüte	rote Nasen roter Nasen roten Nasen rote Nasen	arme Kinder armer Kinder armen Kindern arme Kinder

Gemischte Beugung (Anwendung: Das Eigenschaftswort hat das **unbestimmte** Geschlechtswort oder die besitzanzeigenden Fürwörter oder die Zahlwörter ein, kein, alle bei sich.)		
	Einzahl (Singular)	
männlich (Maskulinum)	weiblich (Femininum)	sächlich (Neutrum)
ein schwarzer Schuh eines schwarzen Schuhes einem schwarzen Schuh einen schwarzen Schuh	seine erwachsene Tochter seiner erwachsenen Tochter seiner erwachsenen Tochter seine erwachsene Tochter	kein armes Kind keines armen Kindes keinem armen Kind[e] kein armes Kind
	Mehrzahl (Plural)	
entfällt!	seine erwachsenen Töchter seiner erwachsenen Töchter seinen erwachsenen Töchtern seine erwachsenen Töchter	keine armen Kinder keiner armen Kinder keinen armen Kindern keine armen Kinder

Beugung (Deklination) mehrerer Eigenschaftswörter (Adjektive)	
das gute, brave, fleißige Mädchen des guten, braven, fleißigen Mädchens dem guten, braven, fleißigen Mädchen das gute, brave, fleißige Mädchen	gutes, braves, fleißiges Mädchen guten, braven, fleißigen Mädchens gutem, bravem, fleißigem Mädchen gutes, braves, fleißiges Mädchen
die guten, braven, fleißigen Mädchen der guten, braven, fleißigen Mädchen den guten, braven, fleißigen Mädchen die guten, braven, fleißigen Mädchen	gute, brave, fleißige Mädchen guter, braver, fleißiger Mädchen guten, braven, fleißigen Mädchen gute, brave, fleißige Mädchen

Steigerung (Komparation) von Eigenschaftswörtern (Adjektiven)

Steigerungsformen	**Grundstufe** (Positiv)	**Steigerungsstufe** (Komparativ)	**Höchststufe** (Superlativ)
regelmäßig	klug groß leicht weit	klüger größer leichter weiter	am klügsten, der klügste am größten, der größte am leichtesten, der leichteste am weitesten, der weiteste
unregelmäßig	gut viel viele wenig	besser mehr mehr minder	der beste, am besten der meiste, am meisten die meisten der mindeste, am mindesten
Anmerkung: „wenig" wird auch regelmäßig gesteigert			
Nur zwei Steigerungsstufen	äußere — äußerste obere — oberste hintere — hinterste		innere — innerste untere — unterste vordere — vorderste
Verstärkung von Eigenschaftswörtern (Adjektiven), die nicht gesteigert werden können	tot — mausetot wörtlich — wortwörtlich stumm — stumm wie das Grab		nackt — splitternackt gerade — schnurgerade rund — kugelrund

Die Fallsetzung gebräuchlicher Eigenschaftswörter (Adjektive)

Mit dem 2. Fall (Genitiv)[1]

ansichtig	fähig	gewiß	mächtig	schuldig	unwürdig	verlustig
bewußt	froh	habhaft	müde	sicher	überdrüssig	voll
eingedenk	gewärtig	kundig	satt	teilhaftig	verdächtig	würdig

[1] Einige dieser Eigenschaftswörter (Adjektive) verbindet man auch gern mit dem 4. Fall (Akkusativ) oder mit einem Verhältniswort (einer Präposition).

Mit dem 3. Fall (Dativ)

abtrünnig	begreiflich	eigen	geläufig	gram	recht	unbegreiflich
ähnlich	behaglich	ergeben	geneigt	hold	schuldig	verbunden
angeboren	behilflich	erwünscht	gewachsen	leid	treu	verhaßt
angemessen	bekannt	feindlich	gewogen	lieb	überlegen	verwandt
angst	billig	fremd	gleich	nahe	unähnlich	willkommen
bange	dienlich	gehorsam	gleichgültig	nützlich	unangenehm	zuträglich

Eigenschaftswörter (Adjektive) mit Verhältniswörtern (mit Präpositionen)

(3. = Dativ — 4. = Akkusativ)

arm	→ an (3.)	empfindlich	→ gegen (4.)	nachsichtig	→ gegen (4.)
aufmerksam	→ auf (4.)	fähig	→ zu (3.)	neidisch	→ auf (4.)
bange	→ vor (3.)	fertig	→ mit (3.)	neugierig	→ auf (4.)
begierig	→ auf (4.)	frei	→ von (3.)	rot	→ vor (3.)
begierig	→ nach (3.)	freigebig	→ gegen (4.)	sicher	→ vor (3.)
bekannt	→ mit (3.)	freundlich	→ gegen (4.)	stolz	→ auf (4.)
bescheiden	→ in (3.)	froh	→ über (4.)	streng	→ gegen (4.)
besorgt	→ um (4.)	gefaßt	→ auf (4.)	taub	→ gegen (4.)
bewandert	→ in (3.)	gefühllos	→ gegen (4.)	traurig	→ über (4.)
böse	→ auf (4.)	gesund	→ an (3.)	verliebt	→ in (4.)
ehrgeizig	→ nach (3.)	glücklich	→ über (4.)	verschieden	→ von (3.)
eifersüchtig	→ auf (4.)	krank	→ an (3.)	verschwenderisch	→ mit (3.)
einfach	→ in (3.)	mildtätig	→ gegen (4.)	voll	→ von (3.)
empfänglich	→ für (4.)	nachlässig	→ in (3.)	zufrieden	→ mit (3.)

Fürwort (Pronomen)

(Eine Übersicht)

1.	2.	3.	4.
persönliches (Personalpronomen)	**hinweisendes** (Demonstrativpronomen)	**besitzanzeigendes** (Possessivpronomen)	**fragendes** (Interrogativpronomen)
ich	dieser	mein	wer?

5.	6.	7.
bezügliches (Relativpronomen)	**rückbezügliches** (Reflexivpronomen)	**unbestimmtes** (Indefinitpronomen)
der, welcher	sich	jemand

Beugung (Deklination) der persönlichen Fürwörter (Personalpronomen)

Anmerkung: „sich" ist das **rückbezügliche Fürwort (Reflexivpronomen)**	**Einzahl (Singular)** 1. Pers.	2. Pers.	3. Pers. männl.	weibl.	sächl.	**Mehrzahl (Plural)** 1. Pers.	2. Pers.	3. Pers.	**Anrede**
1. Fall (Nominativ) Wer?	ich	*du*	er	sie	es	wir	*ihr*	sie	**Sie**
2. Fall (Genitiv) Wessen?	meiner (mein)	*deiner* (*dein*)	seiner (sein)	ihrer	seiner	unser	*euer*	ihrer	**Ihrer**
3. Fall (Dativ) Wem?	mir	*dir*	ihm (sich)	ihr (sich)	ihm (sich)	uns	*euch*	ihnen (sich)	**Ihnen**
4. Fall (Akkusativ) Wen?	mich	*dich*	ihn (sich)	sie (sich)	es (sich)	uns	*euch*	sie (sich)	**Sie**

Beugung (Deklination) der besitzanzeigenden Fürwörter (Possessivpronomen)

(**Jedes** persönliche Fürwort läßt sich mit **jedem** besitzanzeigenden Fürwort verbinden)

Besitzanzeigende Fürwörter (Possessivpronomen)

Persönliche Fürwörter	**Einzahl (Singular)** männlich	weiblich	sächlich	**Mehrzahl (Plural)** m. w. s.
ich	1. mein 2. meines 3. meinem 4. meinen	meine meiner meiner meine	mein meines meinem mein	meine meiner meinen meine
du	1. *dein* 2. *deines* 3. *deinem* 4. *deinen*	*deine* *deiner* *deiner* *deine*	*dein* *deines* *deinem* *dein*	*deine* *deiner* *deinen* *deine*
er es	1. sein 2. seines 3. seinem 4. seinen	seine seiner seiner seine	sein seines seinem sein	seine seiner seinen seine
sie	1. *ihr* 2. *ihres* 3. *ihrem* 4. *ihren*	*ihre* *ihrer* *ihrer* *ihre*	*ihr* *ihres* *ihrem* *ihr*	*ihre* *ihrer* *ihren* *ihre*
wir	1. unser 2. uns[e]r[e]s 3. uns[e]r[e]m 4. uns[e]ren	uns[e]re uns[e]rer uns[e]rer uns[e]re	unser uns[e]r[e]s uns[e]r[e]m unser	uns[e]re uns[e]rer uns[e]r[e]n uns[e]re
ihr	1. *euer* 2. *eures* 3. *eurem* 4. *euren*	*eure* *eurer* *eurer* *eure*	*euer* *eures* *eurem* *euer*	*eure* *eurer* *euren* *eure*
sie	1. *ihr* 2. *ihres* 3. *ihrem* 4. *ihren*	*ihre* *ihrer* *ihrer* *ihre*	*ihr* *ihres* *ihrem* *ihr*	*ihre* *ihrer* *ihren* *ihre*

Beachte! Die kursivgedruckten persönlichen und besitzanzeigenden Fürwörter schreibt man auf Karten und in Briefen mit großem Anfangsbuchstaben. Die ihr-Formen sind auch die Höflichkeitsformen, als solche schreibt man sie immer groß.

Die besitzanzeigenden Fürwörter auf Seite 25 werden wie **Eigenschaftswörter** gebraucht. Es gibt aber auch besitzanzeigende Fürwörter, die wie **Hauptwörter** angewandt werden.

Hier sind ihre Formen (Groß- und Kleinschreibung ist möglich):

Einzahl (Singular)			Mehrzahl (Plural)		
(ich)	der	meine	(wir)	der	unsre
(du)	die	deine	(ihr)	die	eure
(er, es)	das	seine	(sie)	das	ihre
(sie)		ihre			

Besitzanzeigendes Fürwort (Possessivpronomen)
(persönliche und besitzanzeigende Fürwörter im Verhältnis zueinander)

	Einzahl (Singular)				Mehrzahl (Plural)			Anrede
Geschlecht des Besitztums: Besitzer:	ich	du	er, es (Geschlecht des Besitzers)	sie	wir	ihr	sie	**Sie**
Besitz: männlich, sächlich	mein	dein	sein	ihr	unser	euer	ihr	**Ihr**
Besitz: weiblich	meine	deine	seine	ihre	uns(e)re	eure	ihre	**Ihre**

Arten der hinweisenden Fürwörter (Demonstrativpronomen)

männlich:	der	dieser	jener	solcher	derselbe
weiblich:	die	diese	jene	solche	dieselbe
sächlich:	das	dieses	jenes	solches	dasselbe

Beugung (Deklination) der hinweisenden Fürwörter (Demonstrativpronomen)

Die Beugung der hinweisenden Fürwörter „der“ — „die“ — „das“

	Einzahl (Singular)			Mehrzahl (Plural)
	männlich	weiblich	sächlich	m. w. s.
1. Fall (Nom.)	der	die	das	die
2. Fall (Gen.)	dessen	deren	dessen	deren
3. Fall (Dativ)	dem	der	dem	denen
4. Fall (Akk.)	den	die	das	die

Die Beugung der hinweisenden Fürwörter „dieser“, „diese“, „dieses“ — „jener“, „jene“, „jenes“

	Einzahl			Mehrzahl	Einzahl			Mehrzahl
	männl.	weibl.	sächl.	m. w. s.	männl.	weibl.	sächl.	m. w. s.
1. Fall	dieser	diese	dieses	diese	jener	jene	jenes	jene
2. Fall	dieses	dieser	dieses	dieser	jenes	jener	jenes	jener
3. Fall	diesem	dieser	diesem	diesen	jenem	jener	jenem	jenen
4. Fall	diesen	diese	dieses	diese	jenen	jene	jenes	jene

Beugung (Deklination) der Fragefürwörter (Interrogativpronomen) „wer?“ — „was?“ / „welcher?“ — „welche?“ — „welches?“

	ohne Hauptwort gebraucht			mit und ohne Hauptwort (Substantiv) gebraucht			
	Einzahl und Mehrzahl			Einzahl			Mehrzahl
	männl.	weibl.	sächl.	männl.	weibl.	sächl.	m. w. s.
1.	wer?	wer?	was?	welcher?	welche?	welches?	welche?
2.	wessen? (wes?)			welchen[es]?	welcher?	welchen[es]?	welcher?
3.	wem?			welchem?	welcher?	welchem?	welchen?
4.	wen?	wen?	was?	welchen?	welche?	welches?	welche?

Beugung (Deklination) des Fragefürwortes „was für ein?“

1. mit Hauptwort (Substantiv)

	Einzahl (Singular)			Mehrzahl (Plural)
	männlich	sächlich	weiblich	m. s. w.
1.	was für ein . . .?	was für ein . . .?	was für eine . . .?	was für . . .?
2.	was für eines . . .?		was für einer . . .?	was für . . .?
3.	was für einem . . .?		was für einer . . .?	was für . . .?
4.	was für einen . . .?	was für ein . . .?	was für eine . . .?	was für . . .?

2. ohne Hauptwort (Substantiv)

	Einzahl (Singular)			Mehrzahl (Plural)
	männlich	sächlich	weiblich	m. s. w.
1.	was für einer?	was für ein[e]s?	was für eine?	was für welche?
2.	was für eines?		was für einer?	was für welcher?
3.	was für einem?		was für einer?	was für welchen?
4.	was für einen?	was für ein[e]s?	was für eine?	was für welche?

Beugung (Deklination) der bezüglichen Fürwörter (Relativpronomen) „der“, „die“, „das“ / „welcher“ — „welche“ — „welches“

	Einzahl			Mehrzahl	Einzahl			Mehrzahl
	männl.	sächl.	weibl.	m. s. w.	männl.	sächl.	weibl.	m. s. w.
1.	der	das	die	die	welcher	welches	welche	welche
2.	dessen (des)		deren (des)	deren (derer)	dessen (des)		deren (des)	deren (derer)
3.	dem		der	denen	welchem		welcher	welchen (denen)
4.	den	das	die	die	welchen	welches	welche	welche

Beugung (Deklination) der unbestimmten Fürwörter (indefiniten Pronomen) „jemand“, „niemand“, „jedermann“, „keiner“, „einer“

1.	jemand	niemand	jedermann	keiner	einer
2.	jemandes	niemandes	jedermanns	keines	eines
3.	jemand[em]	niemand[em]	jedermann	keinem	einem
4.	jemand[en]	niemand[en]	jedermann	keinen	einen

Das Zahlwort (Numerale) — (Eine Übersicht)

1. bestimmte Zahlwörter (Numeralien)	2. unbestimmte Zahlwörter
a) *Grundzahlen* (Kardinalzahlen) (eins, zwei) b) *Ordnungszahlen* (Ordinalzahlen) (der erste) c) *Wiederholungszahlen* (zweimal) d) *Gattungszahlen* (dreierlei) e) *Vervielfältigungszahlen* (vierfach) f) *Einteilungszahlen* (achtens) g) *Bruchzahlen* (ein Fünftel)	sämtlich, jeder, kein, nichts, einige, etliche, manche, wenig, etwas, ein paar, manchmal, vielmals, niemals, keinerlei, allerlei, vielfach, die meisten, alle, keins, die wenigsten, wenige, manche, die anderen, ein jeder, jedermann, dutzende, (Dutzende) u. a.

Das Zahlwort (Numerale) — Deklination von „eins" — „zwei" — „drei"

	Starke Beugung			Schwache Beugung				
	männlich	weibl.	sächl.	männl.	weibl.	sächl.		
1.	(manch) einer[1]	eine	eines[1]	eine	eine	ein	zwei	drei
2.	(manch) eines	einer	eines	einen	einen	einen	zweier	dreier
3.	(manch) einem	einer	einem	einen	einen	einen	zweien	dreien
4.	(manch) einen	eine	eines[1]	einen	eine	eine	zwei	drei

[1] Vor einem Hauptwort (Substantiv): ein

Umstandswörter (Adverbien) — (Eine Übersicht)

1. des Ortes

a) *wo?:* hier, da, dabei, daneben, daran, darauf, darin, darüber, darunter, dazwischen, außen, draußen, oben, droben, unten, drunten, innen, drinnen, hüben, drüben, vorn, hinten, rechts, links, diesseits, jenseits, gegenüber, irgendwo, nirgends, allerorts, allenthalben, überall u. a.
b) *woher?:* daher, dorther, irgendwoher, überallher u. a.
c) *wohin?:* dahin, dorthin, darein, hinweg, hinab, auf-, ab-, seit-, vor-, rück-, heimwärts, heim, fort, weg, irgendwohin, überallhin, herab, herauf, herein, hinein, hinunter u. a.

2. der Zeit

a) *wann?:* immer, nimmer, niemals, nun, jetzt, soeben, da, dann, darauf, damals, ehemals, früh, früher, sonst, nachher, danach, hernach, spät, später, einstmals, einst, neulich, unlängst, nächstens, künftig, sogleich, sofort, bald, heute, gestern, vorgestern, anfangs, endlich, morgens, mittags, abends, nachts u. a.

b) *wie lange?:* seither, bisher, bis dahin, bis heute, bis jetzt, für immer, immerfort, unterdessen, einstweilen, zeitlebens, noch, lange, eine Zeitlang u. a.
c) *wie oft?:* mitunter, bisweilen, zuweilen, manchmal, oft, häufig, selten, dann und wann, öfters, oftmals, nochmals, abermals, einmal, zweimal, jährlich, wöchentlich, monatlich, stündlich u. a.

3. der Art und Weise

wie? — wie sehr?: gänzlich, wahrlich, wissentlich, blindlings, jählings, flugs, dergestalt, ebenso, ebenfalls, gleichsam, vergebens, zufällig, glücklicherweise, teilweise, paarweise, äußerst, außerordentlich, völlig, sogar, allzu, ziemlich, überaus, kaum, fast u. a.

4. des Grundes

warum? — weshalb? — weswegen?: darum, deshalb, daher, demnach, deswegen, weswegen, darob, freilich, allerdings, wahrlich, zwar, keineswegs, wohl, doch, durchaus, denn, fürwahr, gewiß, wirklich, sicherlich u. a.

Steigerung (Komparation) von Umstandswörtern (Adverbien)

tapfer	tapferer	am **tapfersten**	schön	schöner	am **schönsten**
fest	fester	am **festesten**	hoch	höher	am **höchsten**
stark	stärker	am **stärksten**	gut	besser	am **besten**
gern	lieber	am **liebsten**	bald	eher	am **ehesten**
wohl	wohler	am **wohlsten**	oft	öfter[s]	am **öftesten**

Verhältniswörter (Präpositionen)

mit dem 2. Fall (Genitiv)	mit dem 3. Fall (Dativ)
unweit, mittels, kraft und während, laut, vermöge, ungeachtet, innerhalb und außerhalb, oberhalb und unterhalb, diesseits, jenseits, halber [n], wegen, statt, anstatt, um — willen, längs, zufolge, trotz mit dem Dativ auch: längs, laut, zufolge, trotz	mit, nach, nächst, nebst, samt, bei, seit, von, zu, zuwider, entgegen, gegenüber, binnen, gemäß, außer, aus **mit dem 4. Fall (Akkusativ)** durch, für, ohne, um, sonder, gegen, wider

Verhältniswörter (Präpositionen) mit dem 3. und 4. Fall (Dativ und Akkusativ)

an, auf, hinter, neben, in,
über, unter, vor und zwischen
stehen mit dem 4. Fall, wenn man fragen kann: Wohin?
Mit dem 3. stehn sie so, daß man nur kann fragen: Wo?

Bindewörter (Konjunktionen)

für Nebensätze	für Hauptsätze
als, daß, so daß, bis daß, seit, seitdem, indem, falls, während, ob, obwohl, da, damit, nachdem, weil, wenn, bevor, obschon, ehe, bis, sobald mit Komma!	aber, auch, dagegen, nur, zudem, indessen, denn, daher, darum, deshalb, also, außerdem mit Komma oder Strichpunkt! (Semikolon!)

Doppelbindewörter	Zeichensetzung nach der „und"-Regel:
je — um so, je mehr — desto, nicht — sondern, nicht nur — sondern auch, wie — so, bald — bald, teils — teils, erstens — zweitens — drittens mit Komma! **Aber:** sowohl — auch, sowohl — als auch sowohl — wie, sowohl — wie auch haben in der Regel **kein** Komma!	und, oder, entweder — oder, weder — noch

Empfindungswörter (Interjektionen)

1. Empfindungslaute	2. Begehrungslaute	3. Schallnachahmungen
ha! ah! oh! ei! juchhe! juchhei! heisa! (heißa!) o weh! au! weh! aha! hm! pfui! hu! puh! u. a.	halloh! ahoi! holla! heda! he! pst! basta! brr! hü! hott! u. a.	muh! ia! määh! miau! wau, wau! kikeriki! tick, tack! patsch! platsch! schwapp! bim, bam, bum! u. a.

Zur Wortbildung

I. Bildung von Hauptwörtern (Substantiven)

A. Wortbildung durch Zusammensetzungen

1. *Bestimmungswort und Grundwort sind gleichwertig miteinander verbunden:* Landstraße, Autobahn, Marktplatz, Haustür u. a.

2. *Das Bestimmungswort ist ein Hauptwort im Wesfall und vom Grundwort abhängig:* Wintersanfang, Frauenarbeit, Waldesstille, Kindergarten u. a.

3. *Ein Zeitwort tritt als Bestimmungswort zum Hauptwort:* Singvogel, Lesebuch, Rennstrecke, Fahrlehrer, Schiebetür u. a.

4. *Ein Eigenschaftswort steht als Bestimmungswort beim Hauptwort:* Schwarzbrot, Rotdorn, Grünspan, Heißhunger u. a.

5. *Weitere Wortarten (Verhältniswort, Umstandswort, Zahlwort, Fürwort, Empfindungswort) können als Bestimmungswort zum Hauptwort treten:* Anlauf, Vorteil, Mitleid, Wohlgefallen, Übeltat, Viergespann, Tausendfüßler, Ichmensch, Pfuiruf u. a.

B. Wortbildung vom Zeitwortstamm, auch mit Hilfe des Ablauts und durch Anfügen eines Mitlauts

Grab (graben), Lob (loben), Zank (zanken), Kamm (kämmen), Flug (fliegen), Mehl (mahlen), Spruch (sprechen), Fahrt (fahren), Jagd (jagen), Schrift (schreiben), Pfiff (pfeifen), Kunst (können), Tat (tun) u. a.

C. Wortbildung durch Vor- (Präfixe) und Nachsilben (Suffixe)

1. **Hauptwörter können von anderen Hauptwörtern gebildet werden:**

Vorsilben (sie bestimmen **nicht** das **Geschlecht**):

erz- *(bedeutet eine Steigerung im guten und schlechten Sinne):* Erzbischof, Erzherzog, Erzengel — Erzgauner, Erzlügner u. a.

ge- *(eine Sammelbezeichnung, auch zur Bezeichnung einer Person, mit der man etwas Gemeinsames hat):* Getier, Gewürm, Gebüsch, Gestirn, Genosse, Gefährte u. a.

miß-, misse- *(bedeutet etwas Schlechtes, Falsches):* Mißerfolg, Mißgunst, Mißverständnis, Missetat, Missetäter u. a.

un- *(bedeutet einen Gegensatz, auch eine Steigerung):* Unglück, Unruhe, Undank — Untier, Unmenge, Unzahl u. a.

ur- *(= Anfang oder sehr alt):* Ursache, Ursprung, Urmensch, Urgeschichte u. a.

ur- *kann auch die Vorsilbe* **-er** *vertreten:* Urteil (erteilen), Urlaub (erlauben), Urkunde (erkennen). Hier ist aber das Hauptwort vom Zeitwort gebildet worden.

Nachsilben:

Anmerkung: Einige Nachsilben bestimmen das Geschlecht:

1. männlichen Geschlechts sind die meisten Hauptwörter auf -el, -er und sämtliche auf -rich, -ig, -ing, -ling;

2. weiblich sind die Hauptwörter auf -ei, -heit, -keit, -in, -schaft, -ung;

3. sächlichen Geschlechts: die auf -chen, -lein und die meisten Wörter auf -nis, -sal, -sel, -tum.

-chen, -lein *(Verkleinerungssilben):* Mütterchen, Mütterlein, Äuglein, Fläschchen, Fritzchen, Ingelein, Fränzchen, Ännchen u. a.

Doppelte Verkleinerung: Wägelchen, Ringelchen, Bündelchen u. a.

-ei *(bezeichnet einen Betrieb, ein Gewerbe, ein Geschäft):* Bäckerei, Schreinerei, Weberei, Brauerei, Försterei u. a.

-er *(bezeichnet einen männlichen Beruf oder Stand):* Schüler (Schule), Handwerker (Handwerk), Bürger (Burg) u. a.

-heit *(bildet Wörter, die einen Zustand oder eine Gesamtheit bezeichnen):* Blindheit, Kindheit, Menschheit, Christenheit u. a.

-in *(zeigt das weibliche Geschlecht bei Mensch und Tier an):* Herrin, Fürstin, Bäuerin, Löwin, Häsin u. a.

-ist *(eine fremde Endsilbe, die aber auch an rein deutsche Wörter gehängt wird):* Marxist, Drogist, Lagerist, Flötist, Hornist u. a.

-ling *(bezeichnet einen Zustand bei Personen):* Flüchtling (Flucht), Häftling (Haft), Mietling (Miete) u. a.

-rich *(zeigt das männliche Geschlecht an):* Wüterich (Wut), Enterich (Ente), Gänserich (Gans) u. a.

-schaft *(eine Sammelbezeichnung):* Knechtschaft (Knecht), Bürgschaft (Bürger), Lehrerschaft (Lehrer), Erbschaft (Erbe) u. a.

-tum *(Stand, Würde, Machtbereich):* Königtum (König), Bürgertum (Bürger), Bistum (Bischof).

2. **Hauptwörter werden von Eigenschaftswörtern gebildet:**

-e *(dieser angehängte Buchstabe bezeichnet eine Eigenschaft oder einen Zustand):* Dicke (dick), Länge (lang), Güte (gut), Schwüle (schwül) u. a.

-heit, -keit, -schaft, -ung, -tum *(sie bezeichnen einen Zustand, eine Eigenschaft, auch kann damit ein Sammelbegriff gebildet werden):* Dunkelheit (dunkel), Schönheit (schön), Faulheit (faul), Gerechtigkeit (gerecht), Sauberkeit (sauber), Müdigkeit (müde), Geistlichkeit (geistlich), Weiblichkeit (weiblich), Verwandtschaft (verwandt), Bekanntschaft (bekannt), Höhlung (hohl), Rötung (rot), Dickung (dick), Reichtum (reich), Siechtum (siech), Heiligtum (heilig) u. a.

3. **Hauptwörter werden von Zeitwörtern gebildet:**

Vorsilben:

ge- *(sie bezeichnet eine Wiederholung der Tätigkeit):* Gepolter (poltern), Geklapper (klappern), Geschwätz (schwätzen), Gezänk (zanken) u. a.

ver- *(bedeutet oft etwas Verkehrtes, Unrichtiges, auch eine Handlung):* Verrat (raten, verraten, Vergehen (gehen, vergehen), Versehen (sehen, versehen), Verkauf (kaufen, verkaufen), Verlauf (laufen, verlaufen) u. a.

Nachsilben:

-de *(sie bildet Hauptwörter verschiedener Bedeutung):* Zierde (zieren), Beschwerde (beschweren), Freude (freuen) u. a.

-e *(diese Endung an den Zeitwortstamm gehängt, bildet weibliche Hauptwörter von verschiedener Bedeutung):* Decke (decken), Liebe (lieben), Sorge (sorgen), Pflege (pflegen) u. a.

-ei *(bezeichnet ein nichtlöbliches, fehlerhaftes Handeln):* Prahlerei (prahlen), Schmeichelei (schmeicheln), Lügerei (lügen), Bettelei (betteln) u. a.

-er, -in *(-er bildet mit dem Zeitwortstamm die männliche, -in, noch hinzugefügt, die weibliche Person):* Pfleger, Pflegerin (pflegen), Fahrer, Fahrerin (fahren) u. a.

-er *(sie bildet auch Bezeichnungen für Werkzeuge):* Bohrer (bohren), Zeiger (zeigen), Drücker (drükken) u. a.

-ling, -el, -sal, -sel *(diese Nachsilben lassen Hauptwörter mannigfacher Bedeutung entstehen):* Säugling (saugen), Liebling (lieben), Schlüssel (schließen), Flügel (fliegen), Labsal (laben), Drangsal (drängen), Häcksel (hacken), Rätsel (raten) u. a.

-nis *(bildet Hauptwörter, die Zustände, Handlungen, auch Gegenstände bezeichnen):* Betrübnis (betrüben), Bekenntnis (bekennen), Verlöbnis (verloben), Bildnis (bilden), Verzeichnis (verzeichnen).

-ung *(bildet vielfach Hauptwörter, die eine Handlung bezeichnen):* Heizung (heizen), Mischung (mischen), Labung (laben), Fütterung (füttern) u. a.

II. Bildung von Eigenschaftswörtern (Adjektiven)

A. Durch Zusammensetzung mit anderen Wortarten

1. **mit Hauptwörtern:** schneeweiß, taghell, steinalt u. a.
2. **mit Eigenschaftswörtern:** dunkelblau, altklug, hochbeinig u. a.

3. **mit Zeitwörtern:** treffsicher, rauflustig, schreibfaul u. a.

4. **mit Verhältniswörtern:** vorlaut, nachlässig, überhoch u. a.

5. **mit Zahlwörtern:** dreikantig, vierbeinig u. a.

B. Durch Vor- und Nachsilben

1. **Eigenschaftswörter von Hauptwörtern:**

Nachsilben:

-bar *(bezeichnet ein Tragen oder Hervorbringen):* fruchtbar (Frucht), furchtbar (Furcht), ehrbar (Ehre) u. a.

-en, -n, -ern *(sie bezeichnen Stoffe oder kennzeichnen die Beschaffenheit):* golden (Gold), metallen (Metall), seiden (Seide), wollen (Wolle), steinern (Stein), hölzern (Holz) u. a.

-haft *(= mit etwas behaftet sein):* lasterhaft (Laster), schmerzhaft (Schmerz), ekelhaft (Ekel), fehlerhaft (Fehler) u. a.; in einigen Sätzen hat **-haft** nicht mehr die ursprüngliche Bedeutung, sondern besagt soviel wie ähnlich: märchenhaft (wie im Märchen), geisterhaft (wie bei Geistern).

-ig *(= voll sein von etwas, versehen sein mit etwas):* fleißig (Fleiß), prächtig (Pracht), würzig (Würze), geduldig (Geduld), gesellig (Geselle) u. a.

-isch *(bezeichnet die Herkunft, auch eine nichtlöbliche, sogar böse Eigenschaft):* himmlisch (Himmel), irdisch (Erde), fränkisch (Franken), belgisch (Belgien), slawisch (Slawe) — neidisch (Neid), närrisch (Narr), diebisch (Dieb), teuflisch (Teufel) u. a.

-lich *(= ähnlich, sie bezeichnet auch eine Haltung):* männlich (Mann), bürgerlich (Bürger), winterlich (Winter) — freundlich (Freund), gemütlich (Gemüt) u. a.

-sam *(= eine Neigung zu etwas haben oder wie man ist oder sein soll, auch belastet mit):* sorgsam (Sorge), arbeitsam (Arbeit), geduldsam (Geduld), mühsam (Mühe) u. a.

2. **Eigenschaftswörter von Eigenschaftswörtern:**

-haft *(= behaftet sein mit):* krankhaft (krank), boshaft (böse).

-lich *(schwächt ab):* gelblich (gelb), ärmlich (arm), länglich (lang) u. a.

-un, -miß *(haben abschwächenden, auch verneinenden Sinn):* unfähig, unartig, unmutig, mißmutig u. a.

-ur, -erz *(sie geben einen hohen Grad der Eigenschaft an):* urgemütlich, uralt, ursprünglich, erzdumm, erzböse, erzfaul u. a.

-sam *(sie drückt eine Fähigkeit oder Neigung aus):* gemeinsam, langsam u. a.

3. **Eigenschaftswörter von Zeitwörtern:**

-haft *(= behaftet sein):* lebhaft (leben), naschhaft (naschen), zaghaft (zagen) u. a.

-ig *(= wie man ist, wie etwas ist):* findig (finden), unterwürfig (unterwerfen), gültig (gelten) u. a.

-lich, -bar *(= möglich):* verzeihlich (verzeihen), begreiflich (begreifen), erkenntlich (erkennen), teilbar (teilen), faßbar (fassen), brauchbar (brauchen) u. a.

-sam *(= wie man ist oder wie etwas ist):* schweigsam (schweigen), duldsam (dulden), wirksam (wirken) u. a.

-end:	abwesend	Diese „Nachsilben“ (eigentlich sind es Verbalendungen) treffen wir bei den zu Eigenschaftswörtern erstarrten Mittelwörtern an.
-en:	erwachsen	
-et:	gebildet	
-t:	unentwegt	

III. Bildung von Zeitwörtern (Verben)

A. Durch Zusammensetzungen

1. **Zeitwörter mit Hauptwörtern:** wertschätzen (Wert), haushalten (Haus), maßhalten (Maß), radfahren (Rad) u. a.

2. **Zeitwörter mit Umstandswörtern bzw. mit Eigenschaftswörtern als Umstandswörter:** wohlriechen, gernhaben, hochschätzen, armkaufen u. a.

3. **Zeitwörter mit Verhältniswörtern:** nachlaufen, vorsagen, zuteilen, unterlassen u. a.

4. **Zeitwörter mit Zahlwörtern:** zweiteilen, vierteilen u. a.

5. **Zeitwörter mit Zeitwörtern:** stehenlassen, liegenbleiben u. a.

B. Durch Nachsilben

1. **Zeitwörter von Hauptwörtern:**

-en, -n *(sie bilden Zeitwörter von verschiedener Bedeutung):* kleiden (Kleid), kämmen (Kamm), ackern (Acker), eitern (Eiter) u. a.

-eln, -ln *(haben vermindernde Wirkung):* frösteln (Frost), witzeln (Witz), näseln (Nase), züngeln (Zunge) u. a.

-ern, -rn, -n *(bezeichnen eine wiederholende Tätigkeit):* räuchern (Rauch), räubern (Raub), zittern (Zither), folgern (Folge), pfeffern (Pfeffer) u. a.

-igen *(zumeist in der Bedeutung: jemandem etwas antun):* peinigen (Pein), schädigen (Schaden), huldigen (Huld) u. a.

-ieren *(diese Silbe wird vielfach an Fremdwörter, aber auch an deutsche Wörter angehängt; Bedeutung ist mannigfach):* diktieren (Diktat), manöverieren (Manöver), stolzieren (Stolz), hofieren (Hof) u. a.

2. **Zeitwörter von Eigenschaftswörtern:**

-eln, -n *(besagt weniger als das Eigenschaftswort):* klügeln (klug), dunkeln (dunkel), frömmeln (fromm) u. a.

-en *(= machen in Verbindung mit dem Eigenschaftswort):* schwächen (schwach), röten (rot), krümmen (krumm), längen (lang) u. a.

-igen *(= machen):* reinigen (rein), sättigen (satt), festigen (fest) u. a.

3. **Zeitwörter von Zeitwörtern:**

Vorsilben:

be- *(= mit etwas versehen):* beglücken (glücken,) bewässern (wässern), bestärken (stärken) u. a.

ent- *(hat trennende Wirkung):* entloben (loben, geloben), entwässern (wässern), entreißen (reißen) u. a.

er- *(= etwas erstreben, bezeichnet auch den Abschluß einer Handlung):* erhaschen (haschen), erfassen (fassen), ergreifen (greifen) u. a.

ge- *(bezeichnet auch zumeist den Abschluß einer Handlung):* gerinnen (rinnen), gehorchen (horchen), gefrieren (frieren) u. a.

miß- *(bezeichnet das Gegenteil):* mißglücken (glücken), mißbilligen (billigen), mißdeuten (deuten) u. a.

ver- *(= von einem Zustand in einen anderen geraten oder überführen):* verbrauchen (brauchen), vergehen (gehen), verraten (raten), verregnen (regnen) u. a.

zer- *(bedeutet Auflösung, Vernichtung):* zerreißen (reißen), zerbrechen (brechen), zerreden (reden), zerstückeln (stückeln) u. a.

Nachsilben:

-eln *(sie vermindert):* lächeln (lachen), spötteln (spotten), tänzeln (tanzen) u. a.

-ern *(gibt zumeist eine Wiederholung an):* stochern (stechen), steigern (steigen), stottern (stoßen) u. a.

IV. Bildung von Umstandswörtern (Adverbien)

1. **Ursprüngliche Umstandswörter:** bald, da, dort, hier, hin, immer, manchmal, nirgend, oben, oft, unten u. a.

2. **Bildung mit dem Wesfall-s:**

a) *von Hauptwörtern:* nachts, morgens, anfangs, flugs u. a.

b) *von anderen Wortarten:* bestens (am besten), nächstens (am nächsten), eilends (eilend), zusehends (zusehend) u. a.

3. **Bildung durch Zusammensetzung:** ebenfalls, allenthalben, abseits, unsererseits, beizeiten, fürwahr, bergab, kopfüber u. a.

4. **Mit den Nachsilben -lich, -lings:** ewiglich, gänzlich, wahrlich, gewißlich, blindlings, jählings, rücklings u. a.

Aufbau einer Wortfamilie

Beispiel: **fahren** (fahr[en] — fuhr)

1. **Hauptwörter, gebildet vom Wortstamm (fahr) und von der Vergangenheitsform (fuhr), auch mit Hilfe des Ablauts und durch Anfügen eines Selbst- oder Mitlauts:** die Fahrt, die Fähre, die Fuhre, die Furt.

2. **Hauptwortbildungen durch Zusammensetzung mit den verschiedensten Wortarten:**

a) *„fahren" als Grundwort:* Seefahrt, Luftfahrt, Kahnfahrt, Bahnfahrt, Autofahrt, Ballonfahrt, Raumfahrt, Bergfahrt, Talfahrt, Höllenfahrt, Himmelfahrt, Pilgerfahrt, Schlittenfahrt, Bootsfahrt, Schiffahrt, Dienstfahrt. — Überfahrt, Vorfahrt, Auffahrt, Umfahrt, Durchfahrt, Ausfahrt, Zufahrt, Anfahrt. — Abfahrt, Heimfahrt. — Wallfahrt, Rennfahrt. — Freifahrt, Schwarzfahrt, Rundfahrt. — Holzfuhre. — Zufuhr, Anfuhr, Ausfuhr. — Weltraumfahrt, Hafenrundfahrt,

Weltschiffahrt, Binnenschiffahrt, Querfeldeinfahrt. — Beifahrer, Mitfahrer, Fernfahrer, Rechtsfahrer, Linksfahrer, Wallfahrer, Rennfahrer, Schwarzfahrer. — die Vorfahren, die Nachfahren.

b) *„fahren" als Bestimmungswort:* Fahrkarte, Fahrgeld, Fahrbahn, Fahrdamm, Fahrdienst, Fahrrad, Fahrgast, Fahrgeschwindigkeit, Fahrgestell, Fahrstil, Fahrstrecke, Fahrplan, Fahrrinne, Fahrschein, Fahrschule, Fahrstraße, Fahrstuhl, Fahrzeug, Fahrzeit, Fahrlast, Fahrwasser, Fahrgelegenheit. — Fahrzeughalter, Fahrdienstleiter, Fahrgeldauslagen. — Fahrtrichtung, Fahrtdauer, Fahrtenbuch. — Fährmann, Fährschiff. — Fuhrmann (Fuhrleute), Fuhrwerk u. a.

3. **Zeitwortbildungen durch Zusammensetzung mit verschiedenen Wortarten:**

a) *„fahren" als Grundwort:* wallfahren, willfahren, radfahren, heimfahren. — totfahren, festfahren, schwarzfahren. — längsfahren, mitfahren, nachfahren, beifahren, entgegenfahren, ausfahren, durchfahren, umfahren, widerfahren, anfahren, überfahren, vorfahren. — ab-, dabei-, daneben-, daran-, darauf-, darüber-, darunter-, dazwischen-, daher-, dahin-, darein-, empor-, fort-, herab-, herauf-, heran-, heraus-, herbei-, herein-, hinauf-, hinan-, hinaus-, hinab-, hinein-, hinunter-, hinweg-, links-, los-, quer-, rechts-, voran-, voraus-, weg- → **fahren.** — spazierenfahren.

In stehenden Verbindungen: Auto fahren, Schlitten fahren, Schi fahren, Rollschuh fahren, Karussell fahren.

Andere Betonung, anderer Sinn: **durch**fahren — durch**fahren**, **über**fahren — über**fahren**, **um**fahren — um**fahren**;

b) *„fahren" als Bestimmungswort:* fahrenlassen (= aufgeben), fahren lassen (= Erlaubnis zum Fahren geben), fuhrwerken u. a.

4. **Wortbildungen durch Vor- und Nachsilben:**

a) *Zeitwörter:* befahren, entfahren, erfahren, gefahren, mißfahren, verfahren, zerfahren;

b) *Eigenschafts- bzw. Umstandswörter:* fahrbar, befahrbar, fahrig (zerstreut), fahrlässig, erfahren (klug, weltgewandt), willfährig, zerfahren (= durcheinander);

c) *Hauptwörter:* Fahrer, Fahrerin, die Fahrigkeit (Zerstreutheit), Fahrlässigkeit, Fahrerei, die Fährte, der Gefährte, die Gefährtin, Gefahr, das Gefährt.

5. **Besondere Bildungen und Ableitungen:**

Fahrende (mittelalterliche Spielleute, Minnesänger — auch umherziehende Gaukler),

die Fährnis (dichterisch für: die Gefahr), die Fährde (dichterisch ebenfalls für: die Gefahr), die Fahrnis (so bezeichnet die Rechtssprache die fahrende Habe, das bewegliche Vermögen), die Fahrnisgemeinschaft (in der Rechtssprache: Gesamtheit der Erben eines beweglichen Vermögens),

der Ferge (dichterisch für: Fährmann),

fertig (= der zur Zeit bereit ist) → daraus wurden gebildet: bußfertig, friedfertig, leichtfertig, reisefertig, schlagfertig, schußfertig — Bußfertigkeit, Friedfertigkeit, Leichtfertigkeit, Schlagfertigkeit, Schußfertigkeit,

Förde, Fjord (schmale, lange Meeresbucht),

Hoffart, hoffärtig (= hoch fahren).

6. **„fahren" in der Namensbildung:** Frankfurt, Erfurt, Schweinfurt, Staßfurt, Furth, Fürth, Wipperfürth, Herford (Heeresfurt), Eckernförde, Verden, Oxford, Stratford u. a.

7. **„fahren" in Sprichwörtern und Redensarten:**

Wer gut schmiert, der gut fährt. Man soll nicht mit sechsen fahren, wenn man nur für zwei Futter hat. Längs der Küste fährt man am sichersten. — Etwas in Grund und Boden fahren, fahr wohl!, fahr zum Teufel!, fahr in die Hölle, in die Grube fahren (Bergmann — bildlich auch: sterben), das Messer ist ihm aus der Hand gefahren, ein Gedanke fährt mir durch den Kopf, ein Schreck fuhr ihm durch die Glieder, mit jemandem gut fahren, aus dem Bett fahren, aus dem Häuschen fahren, in die Höhe fahren, sich durch die Haare fahren, in die Kleider fahren, in Fahrt kommen (aufgeregt werden), auf der rechten Fährte sein, im richtigen Fahrwasser schwimmen, er hat alle Hoffnungen fahrenlassen, er hat sich festgefahren, den Karren in den Dreck fahren, der Streit glitt ins politische Fahrwasser u. a.

8. **„führen"** (= zum Fahren bringen) ist ein bewirkendes Zeitwort und verwandt mit „fahren". Die Wortfamilie „führen" läßt sich ähnlich wie die Wortfamilie „fahren" aufbauen.

C. Satzlehre (Syntax)

Arten der Sätze und ihre Schlußzeichen

Aussagesatz	**Ausrufesatz**	**Wunschsatz**	**Befehlssatz**	**Fragesatz**
Er schläft.	Schön schläft er!	Könnte ich doch schlafen!	Schlaf!	Schläft er?
(Punkt)	(Ausrufezeichen)			(Fragezeichen)

(Ausrufezeichen) gilt für Ausrufesatz, Wunschsatz und Befehlssatz.
(Bei Wunschsätzen genügt mitunter ein Punkt)

Die fünf Satzteile

1. **Satzaussage** (Prädikat) — Ich **lese.**
2. **Satzgegenstand** (Subjekt) — **Ich** lese.
3. **Satzergänzung** (Objekt)
4. **Beifügung** (Attribut)
5. **Umstandsbestimmung** (Adverbiale Bestimmung)

Arten der Ergänzungen (Objekte)

1. im 2. Fall (Genitivobjekt)
   z. B. Wir gedenken **der Verstorbenen.**
2. im 3. Fall (Dativobjekt)
   z. B. Wir helfen **dem Freunde.**
3. im 4. Fall (Akkusativobjekt)
   z. B. Wir begrüßen **den Gast.**
4. mit Verhältniswort (präpositionales Objekt)
   z. B. Ich spiele **mit dem Ball.**

Arten der Beifügungen (Attribute)

1. in Form eines Eigenschaftswortes (adjektivisches Attribut)
   z. B. die **schönen** Kleider
2. in Form eines Hauptwortes im 2. Fall (Genitivattribut)
   z. B. die Kleider **der Damen**
3. in Form eines Hauptwortes mit Verhältniswort (präpositionales Attribut)
   z. B. Die Uhr **am Turm** steht.
4. in Form eines Umstandswortes (Adverbs)
   a) des Ortes, z. B. das Haus **dort**
   b) der Zeit, z. B. das Wetter **gestern**
   c) der Art und Weise, z. B. Das **kaum** Mögliche ist eingetreten.
5. in Form eines Fürwortes (Pronomens)
   z. B. **dieser** Mann
6. in Form eines Zahlwortes (Numerale)
   z. B. **drei** Mark
7. in Form eines Beisatzes (Apposition)
   z. B. **König** Friedrich; Friedrich, **der große Preußenkönig;** Otto **der Große**
8. In Form des Infinitivs mit „zu", z. B. Die Fähigkeit **zu denken** ist nur dem Menschen eigen.

Arten der Umstandsbestimmungen

1. **des Ortes:** wo? — woher? — wohin?
2. **der Zeit:** wann? — wie lange? — seit wann? — wie oft?
3. **der Art und Weise:** wie? — wie sehr?
4. **des Grundes:** warum? — weshalb?
5. **des Zweckes:** wozu?
6. **der Bedingung:** unter welcher Bedingung?
7. **des Gegensatzes:** trotz wessen?
8. **des Mittels:** womit? — wodurch?

Die vier Fälle

Einzahl (Singular) und Mehrzahl (Plural)				
Namen der vier Fälle			**Fragestellung**	**Beispiele**
1. Fall	Werfall	Nominativ	Wer? (bei Personen) Was? (bei Sachen)	Wer kommt? → (der Freund) Was brennt? → (das Haus)
2. Fall	Wesfall	Genitiv	Wessen?	Wessen gedenken wir? → (der Toten)
3. Fall	Wemfall	Dativ	Wem?	Wem helft ihr? → (dem Verunglückten)
4. Fall	Wenfall	Akkusativ	Wen? (bei Personen) Was? (bei Sachen)	Wen grüßen wir? → (die Mutter) Was erwarte ich? → (meinen Urlaub)

Abhängigkeit der Satzteile untereinander

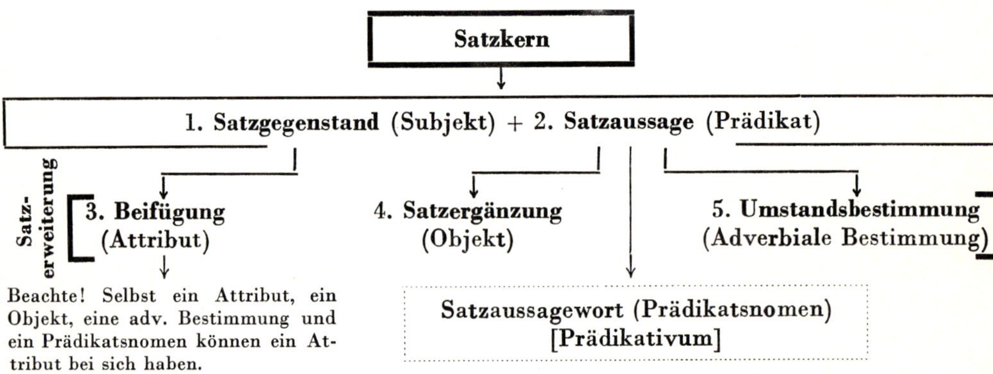

Das Verhältnis von Sätzen zueinander

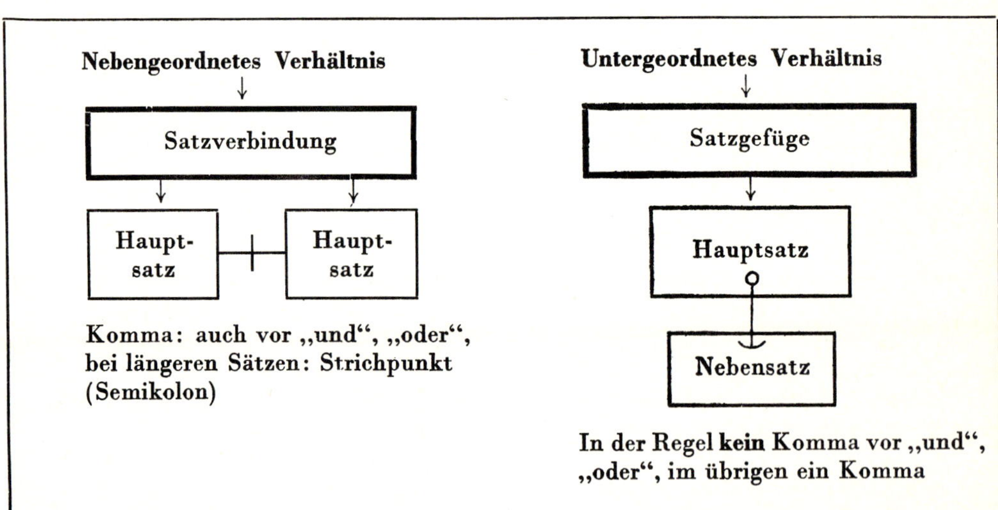

Ein Satzgefüge mit mehreren Nebensätzen

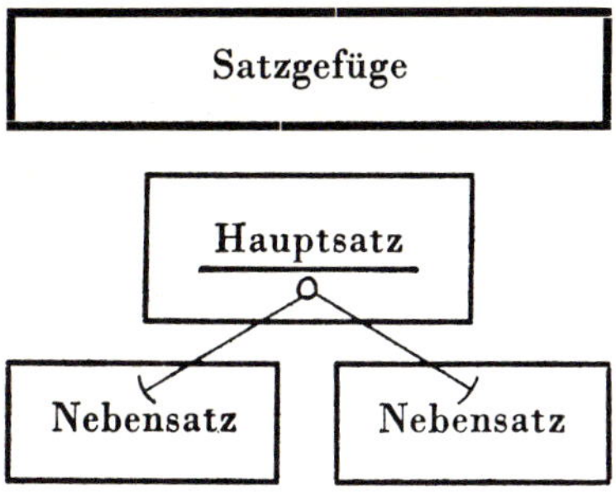

Beide Nebensätze sind gleichwertig

Beispiel:
Unser Glaube lehrt uns,
daß es einen Gott gibt und daß er
die Welt regiert.

▶ **Beachte!** Drei gleichwertige Nebensätze: **Unser Glaube lehrt uns,** daß es einen Gott gibt, daß er die Welt erschaffen hat und sie auch regiert.

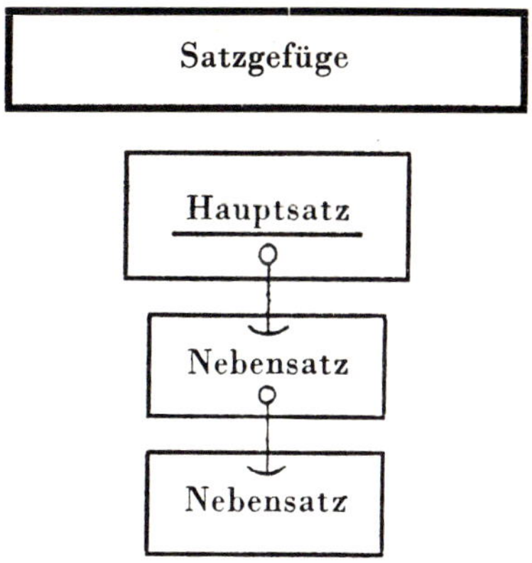

Der 2. Nebensatz ist vom 1. Nebensatz abhängig

Beispiel:
Er sagte,
daß er nach Berlin reise,
das auch seine Heimat sei.

Nebensätze, eingeteilt nach ihrem Inhalt

- **der Gleichsetzungsgliedsatz** (Prädikativsatz)
- **der Satzgegenstandssatz** (Subjektsatz)
- **der Beifügungssatz** (Attributsatz)
- **der Ergänzungssatz** (Objektsatz)
- **die Umstandssätze** (Adverbialsätze)
  - **Umstandssatz des Ortes** (Adverbialsatz des Ortes) [Lokalsatz]
  - **Umstandssatz der Zeit** (Adverbialsatz der Zeit) [Temporalsatz]
  - **Umstandssatz der Art und Weise** (Adverbialsatz der Art und Weise) [Modalsatz]
  - **Umstandssatz des Grundes** (Adverbialsatz des Grundes) [Kausalsatz]

Beispiele für Nebensätze, eingeteilt nach ihrem Inhalt

1. **Prädikativsatz:** Er ist es, der gesprochen hat. = Er ist der Sprecher. 2. **Subjektsatz:** Die viel schwätzen, lügen viel. = Schwätzer lügen viel. 3. **Attributsatz:** Ein Schüler, der faul ist, wird getadelt. = Ein fauler Schüler wird getadelt. 4. **Objektsatz:** Krieg verzehrt, was Friede beschert. = Krieg verzehrt die Werke des Friedens. 5. **Adverbialsätze: des Ortes:** Gott ist auch da, wohin der Mensch nicht kommen kann. = Gott ist überall; **der Zeit:** Der Mensch lernt nicht aus, solange er lebt. = Der Mensch lernt sein Lebtag nicht aus; **der Art und Weise:** Der Redliche spricht, wie er denkt. = Der Redliche spricht ehrlich; **des Grundes:** Ich komme nicht, weil ich krank bin. = Wegen meiner Erkrankung komme ich nicht.

Nebensätze, eingeteilt nach ihrer Stellung

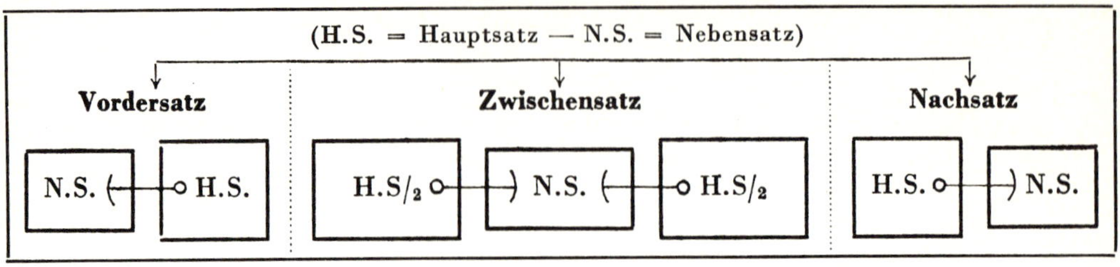

Nebensätze, eingeteilt nach ihrer Form (Verknüpfung)

der bezügliche Satz (Relativsatz)
verknüpft durch:
der, die, das,
welcher, welche, welches,
wer, was,
wo, woraus, woran,
wofür, womit

der abhängige (indirekte) **Fragesatz**
verknüpft durch:
Fragefürwörter
und „ob"

die Bindewortsätze (Konjunktionalsätze)

der Bindewortsatz des Ortes (Lokalsatz)
verknüpft durch:
wo, woher, wohin

der Bindewortsatz der Zeit (Temporalsatz)
verknüpft durch:
nachdem, als, sobald,
bevor, bis, solange,
während

die Bindewortsätze der Art und Weise (Modalsätze)
verknüpft durch:
indem, dadurch daß,
ohne daß, als ob

der Bindewortsatz des Grundes (Kausalsatz)
verknüpft durch:
weil, da, daß

der Vergleichssatz (Komparativsatz)
verknüpft durch:
wie, so wie, je, als ob,
als wenn, als
(= gleichsam als)

der Folgesatz (Konsekutivsatz)
verknüpft durch:
daß, so daß, ohne
daß

der Bedingungssatz (Konditionalsatz)
verknüpft durch:
wenn, falls, ohne daß,
sofern, es sei denn
daß, unter der Voraussetzung daß

der Einräumungssatz (Konzessivsatz)
verknüpft durch:
obgleich, obschon,
obwohl,
wenn auch,
wie sehr auch

der Absichts- oder Zwecksatz (Finalsatz)
verknüpft durch: damit, daß, auf daß

Verkürzte Nebensätze

a) **Grundformsatz (Infinitivsatz)** mit „zu" — „um zu" — „anstatt zu" — „ohne zu"
b) **Mittelwortsatz (Partizipialsatz),** gebildet mit beiden Mittelwörtern
c) **Beisatz**[1] (Apposition), steht als **nachgestellte Beifügung** in demselben Fall wie das Beziehungswort

Beispiele für den Beisatz (Beachte das Komma!):	Aber hier **kein** Komma:
1. Fall: Albrecht Dürer, der große deutsche Maler	Karl der Große
2. Fall: Albrecht Dürers, des großen deutschen Malers	Karls des Großen
3. Fall: Albrecht Dürer, dem großen deutschen Maler	Karl dem Großen
4. Fall: Albrecht Dürer, den großen deutschen Maler	Karl den Großen

[1] **Anmerkung:** Der Beisatz ist im strengen Sinne kein Satz, sondern nur ein Satzteil: eine Beifügung, ein Attribut.

Arten der Satzverbindung

1.	2.	3.	4.
↓	↓	↓	↓
zusammenstellende (kopulative)	**entgegenstellende** (adversative)	**begründende** (kausale)	**folgernde** (konsekutive)

Bindewörter (Konjunktionen) für Satzverbindungen

1. **Zusammenstellende:** und, auch, und auch, so auch, ebenfalls, gleichfalls, sowohl — als (wie) auch, nicht nur — sondern auch, selbst, sogar, zudem, insbesondere, überdies, ja, ja sogar, außerdem, nämlich, und zwar, bald — bald, teils — teils, einesteils — andernteils, einerseits — anderseits, erstens — zweitens — drittens, erst, zuerst, dann, darauf, endlich zuletzt, ferner, schließlich, später u. a.

2. **Entgegenstellende:** nur, allein, sonst, vielmehr, sondern, oder, übrigens, wohl aber, entweder — oder, nicht — sondern, nicht — vielmehr, aber, dagegen, hingegen, nur, allein, doch, jedoch, indes, indessen, dennoch, gleichwohl, trotzdem, dessenungeachtet, nichtsdestoweniger, widrigenfalls.

3. **Begründende:** denn, nämlich.

4. **Folgernde:** darum, deshalb, daher, deswegen, demnach, mithin, also, folglich, so, somit.

Sprachlehre in Satzbildern

Bedeutung der Zeichen

Satzgegenstand (Subjekt) = ═══════

Satzaussage (Prädikat) = ∼∼∼∼∼∼∼

Satzergänzung (Objekt) = ========

Subjekt-seite	Prädikat-seite

im 2. Fall (Genitiv) = 2========2 im 3. Fall (Dativ) = 3========3

im 4. Fall (Akkusativ) = 4====4 Verhältniswortergänzung (präpositionales Objekt) = V====V

Beifügung (Attribut) = ————————

Beifügung mit Verhältniswort (präpositionales Attribut) = BV————————BV

Beisatz (Apposition) = BS————————BS

Umstandsbestimmung (adverbiale Bestimmung) = - - - - - - - -

des Ortes = O- - - - - - - - -O der Zeit = Z- - - - - - - - -Z

der Art und Weise = A- - - - - - - - -W des Grundes = G- - - - - - - - -G

Nebensatz = /———/\———\ Bindewort (Verbindung) = |______|

I. Der einfache Satz (Satzgegenstand [Subjekt] und Satzaussage [Prädikat])

Die Sonne scheint.

die Sonne	scheint

Gott ist gütig.

Gott	ist gütig

Vater muß arbeiten.

Vater	muß arbeiten

Sonne, Mond und Erde sind Himmelskörper.

Sonne, Mond und Erde	sind Himmelskörper

Alles rennet, rettet, flüchtet.

alles	rennet, rettet, flüchtet

II. Der erweiterte Satz

1. Der einfache Satz kann durch Ergänzungen (Objekte) zu einem erweiterten Satz werden.

Gott hat *die Welt* erschaffen.

Gott	hat erschaffen
	die Welt (4)

Die Tochter hilft *der Mutter.*

die Tochter	hilft
	der Mutter (3)

Wir gedenken *der Toten.*

wir	gedenken
	der Toten (2)

Wir glauben *an Gott.*

wir	glauben
	an Gott (V)

Mehrere Ergänzungen (Objekte)

Die Mutter lehrt *das Kind das Beten.*

die Mutter	lehrt
	das Kind (4) – das Beten (4)

Ich leihe *dem Freunde das Buch.*

ich	leihe
	dem Freunde (3) – das Buch (4)

Die Polizei beschuldigte *ihn des Diebstahls.*

die Polizei	beschuldigte
	ihn (4) – des Diebstahls (2)

Ich erinnere *mich an ihn.*

ich	erinnere
	mich (4) – an ihn (V)

2. Der einfache Satz kann durch Beifügungen (Attribute) zu einem erweiterten Satz werden.

Der *fleißige* Schüler verdient Lob.

der Schüler	verdient
fleißige	Lob (4)

Schöne, schnelle Dampfer befahren den Rhein. (Beachte das Komma!)

Dampfer	befahren
schöne, – schnelle	den Rhein (4)

Das Geschäft hat *frische holländische* Eier. (Aber hier **kein** Komma!)

das Geschäft	hat
	Eier (4)
	holländische
	frische

Türme *auf Bergen* geben eine *weite* Sicht.

Türme	geben
auf Bergen (BV)	eine Sicht (4)
	weite

Der Adler ist der König *der Lüfte.*

der Adler	ist der König
	der Lüfte

Dieses Buch kostet *vier* Mark.

Buch	kostet
dieses	Mark (4)
	vier

Das Wetter ist *sehr* kühl.

das Wetter	ist kühl
	sehr

Die Mutter lobt *ihren* Jungen.

die Mutter | lobt

lobt
Jungen
4=====4
ihren

Die Arbeit *des Vaters* bringt der Familie das *tägliche* Brot.

die Arbeit | bringt

die Arbeit
des Vaters

bringt
der Familie — das Brot
3=======3 4======4
tägliche

Wir preisen Gott, *unseren Vater.*

wir | preisen

preisen
Gott
4===4
Vater
BS——BS
unseren

Friedrich, *der große Preußenkönig,* führte den Siebenjährigen Krieg.

Friedrich | führte

Friedrich
der Preußenkönig
BS————BS
große

führte
den Krieg
4======4
Siebenjährigen

3. Der einfache Satz kann durch Umstandsbestimmungen (adverbiale Bestimmungen) zu einem erweiterten Satz werden.

Burgen stehen *auf zahlreichen Bergen.*

Burgen | stehen

stehen
auf Bergen
O———O
zahlreichen

Bei klarer Nacht leuchten unzählige Sterne.

Sterne | leuchten

Sterne
unzählige

leuchten
bei Nacht
Z——Z
klarer

Die Schülerin lernt *fleißig.*

die Schülerin | lernt

lernt
fleißig
A———W

Aber: Die Schülerin *ist fleißig.* (Hier ist „fleißig" **Satzaussagewort.)**

die Schülerin | ist fleißig

Wegen Erkrankung konnte er nicht kommen.

er | konnte nicht kommen

konnte nicht kommen
wegen Erkrankung
G————G

Ein Radfahrer verunglückte *gestern an der Post infolge Leichtsinns tödlich.*

ein Radfahrer | verunglückte

verunglückte
gestern — an der Post — infolge Leichtsinns — tödlich
Z———Z O———O G———G A———W

III. Die Satzverbindung

Der Mensch denkt, aber Gott lenkt.

der Mensch | denkt | aber (Komma) | Gott | lenkt

Freundliches Zutrauen erweckt Zutrauen, und Liebe erweckt Gegenliebe.

Zutrauen | erweckt | und (Komma | Liebe | erweckt

Zutrauen
freundliches

erweckt
Zutrauen
4======4

erweckt
Gegenliebe
4=======4

Jeder Mensch hat ein Recht auf Ehre; (,) deshalb sollst du keines Menschen Ehre verletzen.

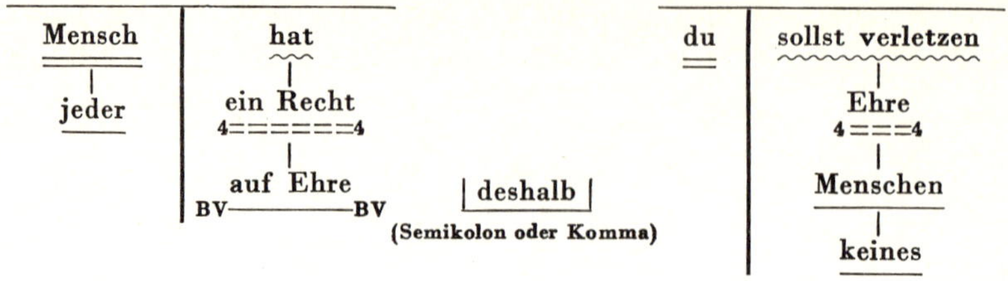

IV. Das Satzgefüge

1. Prädikativsatz

Er *ist der Sprecher.*

Er ist es, *der gesprochen hat.*

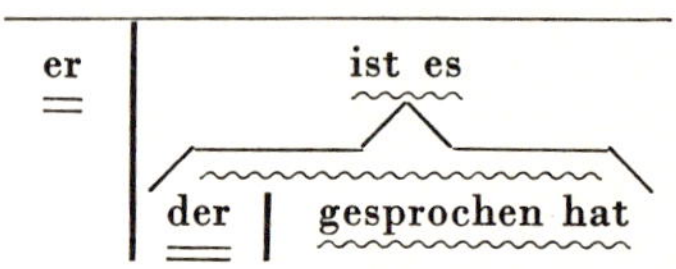

2. Subjektsatz

Schwätzer lügen viel.

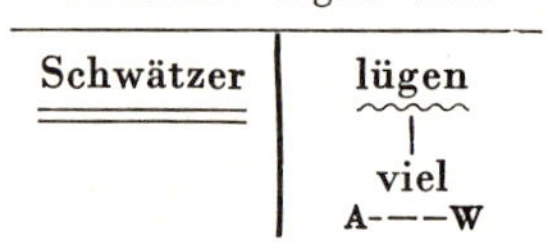

Die viel schwätzen, lügen viel.

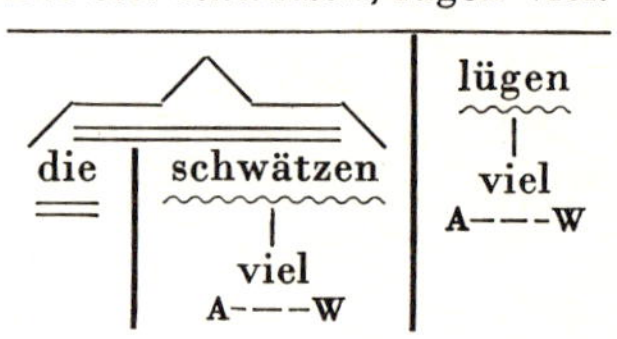

3. Attributsatz

Ein *schlafender* Fuchs fängt kein Huhn.

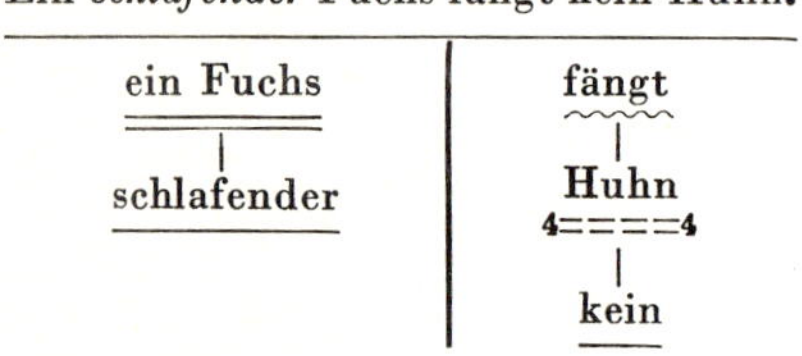

Ein Fuchs, *der schläft,* fängt kein Huhn.

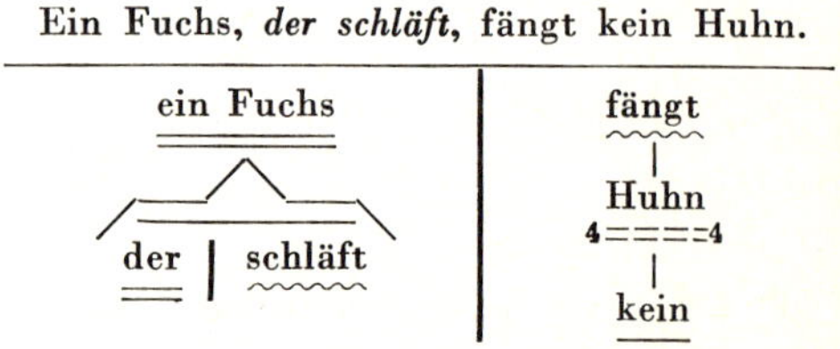

4. Objektsatz

Krieg verzehrt *die Werke des Friedens.*

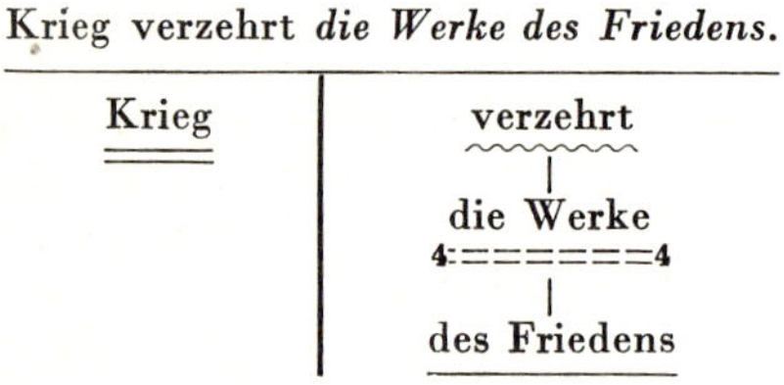

Krieg verzehrt, *was Friede beschert.*

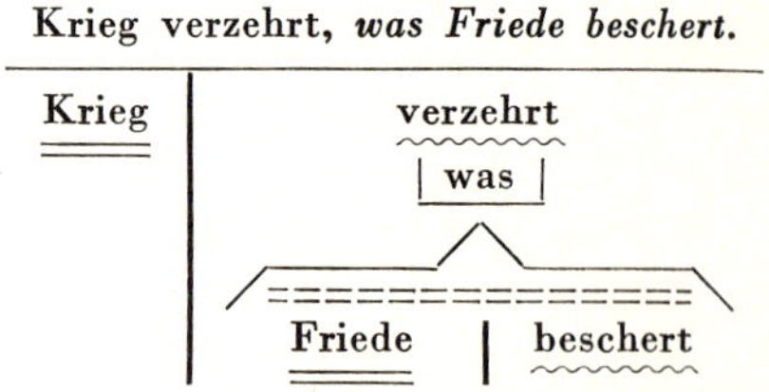

5. Adverbialsatz (der Zeit)

Der Mensch lernt *sein Lebtag* nicht aus.

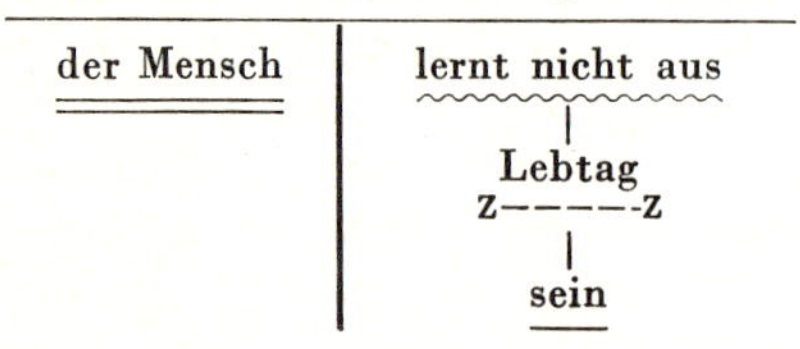

Der Mensch lernt nicht aus, *solange er lebt.*

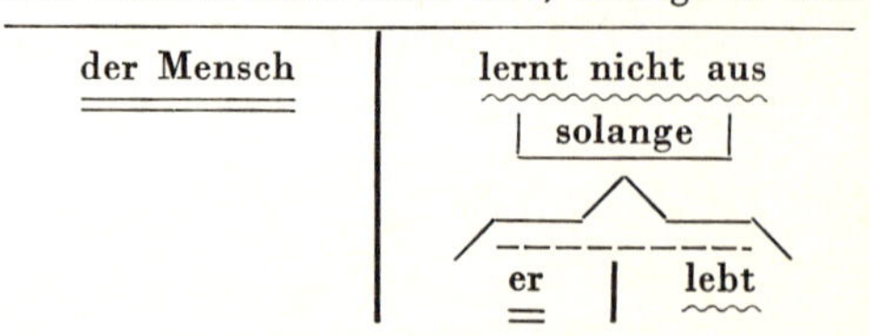

Ein Satzgefüge mit zwei gleichwertigen Nebensätzen

Unser Glaube lehrt, daß Gott die Welt erschaffen hat und daß er die Welt regiert.
Unser Glaube lehrt, daß Gott die Welt erschaffen hat, daß er die Welt regiert.

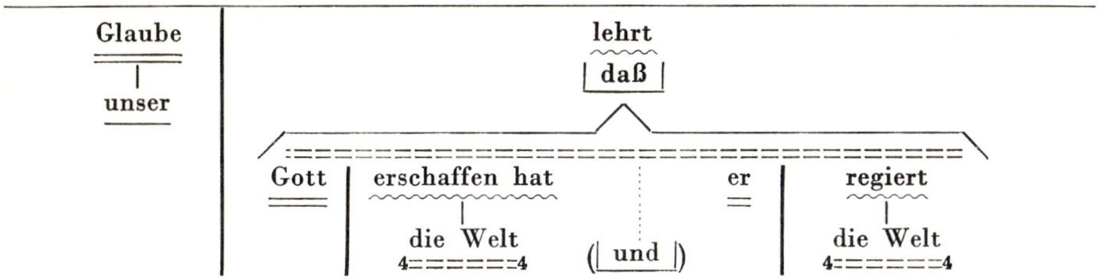

Ein Satzgefüge, in dem der zweite Nebensatz dem ersten untergeordnet ist

Denkst du, daß ich dir die Geschichte geglaubt habe, die du mir gestern erzählt hast?

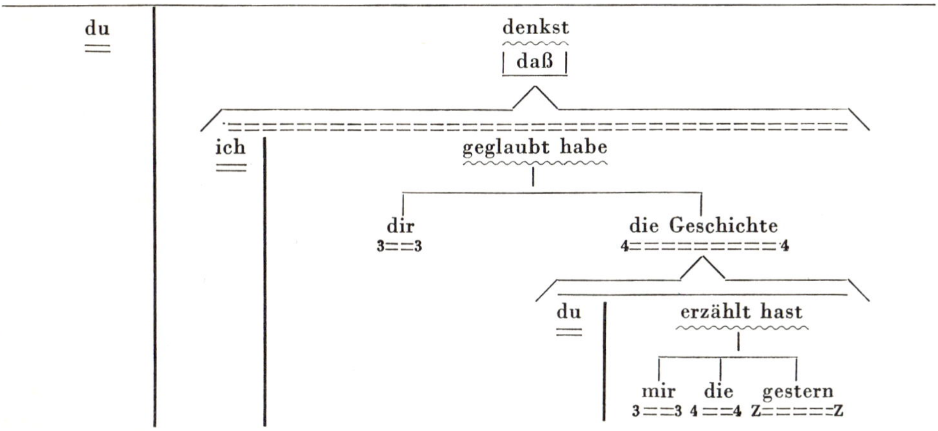

Die wichtigsten Satzzeichenregeln

I. Das Komma

1. Das Komma im einfachen und erweiterten Satz

Das Komma, auch Beistrich genannt, steht:

a) zwischen gleichartigen Satzteilen, wenn sie nicht durch anreihende Konjunktionen miteinander verbunden sind,

Wir besuchten den alten, kranken Mann. — Peter ist höflich, fleißig und kameradschaftlich.

Beachte: ein glückliches neues Jahr; eine angesehene rheinische Maschinenfabrik; ein großes, dunkles bayerisches Bier; der hinkende alte Mann.
(Kein Komma, da das letzte Adjektiv mit dem Substantiv einen Begriff bildet!)

b) vor allen Konjunktionen, **außer den anreihenden** (unter den anreihenden beachte besonders: und, oder, sowohl — als (wie) auch),

Hans ist ein stiller, aber ein fleißiger Schüler. — Nicht nur die Mädchen, sondern auch die Jungen sollten Unterricht in Hauswirtschaft haben.

Beachte, hier kein Komma: Sowohl der Vater als auch die Mutter war zu nachsichtig.

c) bei Anreden und Empfindungswörtern,	„Mein Vater, mein Vater, und hörest du nicht . . .“ — O weh, das ist schlimm. — In Briefen: Lieber Onkel, erst heute . . . .
d) bei einer Apposition (einem Beisatz),	Fritz, mein Freund, holt mich täglich ab.
e) vor erläuternden Aufzählungen, wenn sie eingeleitet werden durch: d. h., d. i., z. B., nämlich, und zwar, so,	Das Schiff kommt wöchentlich zweimal, und zwar sonntags und mittwochs.
f) nach herausgehobenen Satzgliedern,	Mein Wunsch, er wird nicht beachtet.
g) bei erweiterten Infinitiven mit „zu“ — „um zu“ — „ohne zu“ — „anstatt zu“,	Er verlangte, Mittag zu essen. Hans holte sein Rad, um loszufahren. Lerne leiden, ohne zu klagen!
h) vor zwei Infinitiven, die durch „und“ verbunden sind,	Er vergaß, zu schreiben und zu lesen.
i) vor Infinitiven mit zu, wenn durch die Wörter es, danach, damit, darauf usw. auf sie besonders hingewiesen wird,	Es fällt ihm nicht leicht, zu entsagen. — Ich rechne damit, zu gewinnen.
k) vor Infinitiven mit zu, die als Subjekt am Ende des Satzes stehen,	Seine Absicht war, zu gewinnen. Aber: Zu gewinnen war seine Absicht.
l) vor und nach Eigenschafts- und Mittelwörtern mit dem Geschlechtswort, wenn diese hinter ihrem Hauptwort stehen,	Da bricht der Abend, der frühe, herein. — Soll der Freund mir, der liebende, sterben?
m) wenn zwei oder mehrere Eigenschafts- oder Mittelwörter ungebeugt hinter ihrem Hauptwort stehen.	Der Tod, gefürchtet oder ungefürchtet, kommt unaufhaltsam.

2. Das Komma steht zwischen Hauptsätzen:

a) zwischen vollständigen Hauptsätzen, auch wenn sie durch „und“ sowie „oder“ miteinander verbunden sind,	Ich kam, ich sah, ich siegte. — Ich höre dich, aber ich kann dich nicht sehen. Aber: Paßt auf und verlauft euch nicht! (Kein Komma, weil kurze zusammenhängende Sätze!)
b) vor und nach einem eingeschobenen Hauptsatz.	Du sollst, ich wiederhole es zum letzten Male, nicht spielen.

3. Das Komma steht zwischen Haupt- und Nebensätzen:

a) zwischen Haupt- und Nebensätzen.	Weil es regnet, komme ich nicht. — Ich kann, weil es regnet, nicht kommen. — Ich komme nicht, weil es regnet.
b) Beachte besonders Vergleiche! Vergleichssätze werden durch Komma getrennt.	Die Aufgabe ist leichter, als sie aussieht. — Es ist noch alles so, wie es vor Jahren war.
Aber! Werden Satz**glieder** verglichen, so steht **kein** Komma.	Die Kinder der Welt sind klüger als die Kinder des Lichts. — Das Angebot ist in diesem Jahr ebenso groß wie im Vorjahr.
c) zwischen Nebensätzen gleichen Grades, wenn sie nicht durch „und“ sowie „oder“ miteinander verbunden sind,	„Wo's Dörflein dort zu Ende geht, wo's Mühlenrad am Bach sich dreht, da steht in duft'gem Blütenstrauß ein Hüttlein klein, mein Vaterhaus.“
d) zwischen einander untergeordneten Nebensätzen,	Ein altes Sprichwort lehrt, daß der Mensch beten lernt, wenn er in große Not gerät.

e) wenn dem „**und**"-Nebensatz ein Zwischensatz vorausgeht,	Der Angeklagte sagte, daß er unschuldig sei, und begann zu schluchzen.
f) wenn vor dem unterordnenden Bindewort des Nebensatzes auch noch ein „**und**" steht,	Er hat es getan, und wenn er es auch nicht zugeben will.
g) bei Partizipialsätzen (Partizipialkonstruktionen),	Da trat der Hirsch heraus, nach allen Richtungen aufmerksam sichernd. — Eben angelangt, kleideten sich die Jungen zum Spiel um.
h) bei verkürzten und verkappten Nebensätzen.	Ende gut, alles gut.

II. Sonstige Satzzeichen

1. Der **Punkt** schließt einen Satz ab, wenn nicht die Art des Satzes ein Frage- oder Ausrufezeichen bedingt.

Ich liebe den Frühling. — Ich wünschte, der Tag wäre noch einmal so lang. — Er befahl ihm, sofort zu gehen.

Der **Punkt** kennzeichnet Abkürzungen, die im vollen Wortlaut gesprochen werden, und Ordnungszahlen.

Im Auftrage: i. A. — und so weiter: usw. — Heinrich IV. — 1. Seite.

Kein Punkt steht bei Abkürzungen, die Münzen, Maße, Gewichte usw. bezeichnen oder ein Kurzwort darstellen, bei Überschriften, Buch- und Zeitungstiteln sowie bei Anschriften, Unterschriften und nach Datumsangaben.

DM — m — kg — CDU — SPD — NaCl — UNO — Fifa — Mein Lebenslauf — Wallenstein — Der Tagesspiegel — Berlin, den 30. Mai 1960 — Hochachtungsvoll Fritz Schulte

2. Der **Doppelpunkt,** auch **Kolon** genannt, steht vor der angekündigten wörtlichen Rede, bei Aufzählungen und Erklärungen, die vorher angekündigt sind, und vor Sätzen, die eine Zusammenfassung, Erklärung oder eine Folgerung des vorher Gesagten darstellen.

Ich fragte: „Sind Sie der Vater des Jungen?" — Das Jahr hat zwölf Monate: Januar, Februar, März usw. — Mag der Sturm die Wogen auf das Land peitschen, mag die Flut Stück für Stück aus der Küste nagen: Ich liebe das Wasser, und ich liebe den Sturm.

Der **Doppelpunkt entfällt** bei Aufzählungen, wenn sie durch die Wörter als, wie, z. B., d. h. eingeleitet werden.

Es gibt vier Jahreszeiten, nämlich Frühling, Sommer, Herbst und Winter.

3. Der **Strichpunkt,** auch **Semikolon** genannt, vertritt das Komma, wenn dieses Zeichen zu schwach, den Punkt, wenn dieses Zeichen zu stark erscheint. Er steht zwischen längeren Sätzen, vor allem, wenn sie durch die Bindewörter denn, aber, doch und ähnliche miteinander verknüpft sind. Der Strichpunkt wird auch bei Aufzählungen gebraucht, um Gruppen gleichartiger Begriffe zu kennzeichnen.

Da schwebte ein silbergrauer Vogel heran; nun setzte er auf der Landebahn auf. — Es werden eingeführt: Roggen, Weizen, Gerste; Bau- und Grubenholz; Chemikalien.

Ein Semikolon sollte man stets setzen, wenn zwei Hauptsätze (Satzgefüge) getrennt werden, von denen einer oder sogar beide ein Komma bei sich führen müssen.

Beispiel: Die Vögel singen, (und) die Blumen beginnen zu blühen.

Oder: Die Vögel singen; (und) die Blumen beginnen zu blühen.

Aber nur: Die Vögel singen; (und) die Blumen beginnen zu blühen, wenn der Frühling da ist.

4. Das **Fragezeichen** ist ein Betonungszeichen. Es steht nach Fragesätzen und selbständigen Fragepronomen.

Was hast du getan? — Warum? — Wann? — „Wann wirst du mich besuchen?“ fragte sie.

Kein Fragezeichen steht nach abhängigen Fragesätzen.

Sie fragten den Lehrer, wieviel Betten in jedem Zimmer der Jugendherberge ständen.

5. Das **Ausrufezeichen** ist ein Betonungszeichen. Es steht nach Sätzen, die einen Befehl, einen Wunsch, Erstaunen oder eine andere stärker betonte Gemütsbewegung ausdrücken. Es wird oft nach der Anrede in Briefen, nach Empfindungswörtern und nach Ausrufen in Form einer Frage gebraucht.

„Aufgepaßt!“ rief der Schutzmann. — Gib mir bitte das Buch! — Was ist das für eine Überraschung! — Lieber Karl! — Patsch! lag er im Wasser. — Wie oft sagte ich das! Aber: Hochachtungsvoll Fritz Maier — Mit herzlichen Grüßen Dein Fritz

6. Der **Gedankenstrich**, der den Gedankengang unterbricht, steht bei eingeschobenen Satzteilen oder Sätzen (an seine Stelle können auch Komma[s] oder die Klammer treten!), als Bezeichnung einer Gedankenpause, besonders, um auf etwas Unerwartetes vorzubereiten, und als Übergang zu einem anderen Gedanken.

Gestern — du kannst es mir glauben — wäre ich beinahe verunglückt. Manche Schüler rechnen schnell und — falsch. Da — ein Schrei, das Auto hatte ihn erfaßt. Ich kann nicht kommen — doch ich werde alles für dich tun.

7. Das **Anführungszeichen** steht vor und hinter der direkten Rede, vor und hinter angeführten Textstellen, Aussprüchen, Titeln von Büchern, Gedichten, Zeitungen, auch vor und hinter einem Wort, das besonders hervorgehoben werden soll.

Der Lehrer fragte: „Wer will diese Arbeit freiwillig ausführen?“ — In Schillers „Wilhelm Tell“ heißt es: „Der See kann sich, der Landvogt nicht erbarmen.“ — Das ist „nach Adam Riese“ 36! — Die höfliche Anrede „Sie“ und „Ihr“ wird immer groß geschrieben.

8. Das **Auslassungszeichen**, auch **Apostroph** genannt, steht an Stelle eines ausgelassenen Buchstabens.

„Heil’ge Ordnung“ — Ew’ge Gesetze — Wie man’s macht, ist’s verkehrt. — In Freud und Leid wollen wir alles tragen.

Kein Auslassungszeichen wird bei Präpositionen gesetzt, die mit dem Artikel verbunden sind.

ins Wasser — beim Essen — aufs Dach — unterm Tannenbaum

9. Der **Bindestrich** steht an Stelle von wegfallenden Grund- und Bestimmungswörtern und bei Wortzusammensetzungen.

Vor- und Familiennamen — Gepäckannahme und -ausgabe — Teltow-Kanal — G-Dur — I-Laut — Friedrich-Schiller-Feier.

Die wichtigsten Fachausdrücke[1]

deutsch:	**lateinisch:**	**englisch:**	
Auslassungszeichen	der Apostroph*	apostrophe	[ə'pɔstrəfi]
Aussagewort	das Prädikatsnomen	predicative complement	['predikitiv 'kɔmplimənt]
Aussageweise	der Modus	mood	[mu:d]
Befehlsform	der Imperativ	imperative	[im'perətiv]
Beifügung	das Attribut	attribute	[ə'tribju:t]
Beisatz	die Apposition	apposition	[æpo'ziʃen]
Beugung des Haupt- Eigenschafts- und Fürwortes	die Deklination	declension	[di'klenʃən]

[1] Die Fachausdrücke mit Sternchen stammen aus der griechischen Sprache.

Beugung des Zeitwortes	die Konjugation	conjugation	[kɔndʒu'geiʃən]
Bindewort	die Konjunktion	conjunction	[kən'dʒʌŋkʃən]
Doppellaut	der Diphthong*	diphthong	['difθɔŋ]
Eigenschaftswort	das Adjektiv	adjective	['ædʒiktiv]
Einzahl	der Singular	singular	['siŋgjulə]
Empfindungswort	die Interjektion	interjection	[intə'dʒekʃən]
Fall	der Kasus	case	[keis]
Werfall	der Nominativ	nominative	['nɔminətiv]
Wesfall	der Genitiv	genitive	['dʒenitiv]
Wemfall	der Dativ	dative	['deitiv]
Wenfall	der Akkusativ	accusative	[ə'kju:zətiv]
Fürwort	das Pronomen	pronoun	['prounaun]
besitzanzeigendes	das Possessivpronomen	possessive pronoun	[pə'zesiv]
bezügliches	das Relativpronomen	relative pronoun	[relətiv]
fragendes	das Interrogativpronomen	interrogative pronoun	[intə'rɔgətiv ~]
hinweisendes	das Demonstrativpronomen	demonstrative pronoun	[di'mɔnstrətiv ~]
persönliches	das Personalpronomen	personal pronoun	['pə:snl ~]
rückbezügliches	das Reflexivpronomen	reflexive pronoun	[ri'fleksiv ~]
unbestimmtes	das Indefinitpronomen	indefinite pronoun	[in'definit ~]
Gegenwart	das Präsens	present tense	['prezn'tens]
Geschlecht	das Genus	gender	['dʒendə]
Geschlechtswort	der Artikel	article	['a:tikl]
Grundform	der Infinitiv	infinitive	[in'finitiv]
Grundstufe	der Positiv	positive (degree)	['pɔzitiv (di'gri:)]
Grundzahl	die Kardinalzahl	cardinal number	[ka:dinl 'nʌmbə]
Hauptwort	das Substantiv	noun	[naun]
begriffliches (Gedankending)	das Abstraktum	abstract noun	['æbstrækt ~]
gegenständliches (Sachding)	das Konkretum	proper noun	['prɔpə ~]
männliches	das Maskulinum	masculine	['ma:skjulin]
weibliches	das Femininum	feminine	['feminin]
sächliches	das Neutrum	neuter	['nju:tə]
Höchststufe	der Superlativ	superlative (degree)	[sju'pə:lətiv (di'gri]
Leideform	das Passiv	passive voice	['pæsiv 'vɔis]
Mehrzahl	der Plural	plural	['pluərəl]
Mitlaut	der Konsonant	consonant	['kɔnsənənt]
Mittelwort	das Partizip	participle	['pa:tsipl]
Mittelwort der Gegenwart	das Partizip Präsens	present participle	['preznt ~]
Mittelwort der Vergangenheit	das Partizip Perfekt	past participle	[pa:st ~]
Möglichkeitsform	der Konjunktiv	subjunctive (mood)	[səb'dʒʌŋktiv mu:d]
Nebensätze			
Absichts- oder Zwecksatz	Finalsatz	clause of purpose	[klɔ:z əʌ 'pə:pəs]
Bedingungssatz	Konditionalsatz	clause of condition	[~kən'diʃən]

Einräumungssatz	Konzessivsatz	clause of concession	[~ kən'seʃən]
Folgesatz	Konsekutivsatz	clause of result	[~ ri'sʌlt]
Umstandssatz der Art und Weise	Modalsatz	clause of manner	[~'mænə]
Umstandssatz des Grundes	Kausalsatz	clause of cause	[~ kɔ:z]
Umstandssatz des Ortes	Lokalsatz	clause of place	[~ pleis]
Umstandssatz der Zeit	Temporalsatz	clause of time	[~ taim]
nichtwörtliche Rede (abhängige)	indirekte Rede	indirect speech	['indi'rekt spi:tʃ]
nichtzielendes Zeitwort	intransitives Verb	intransitive verb	[in 'transitiv və:b]
Ordnungszahl	die Ordinalzahl	ordinal number	['ɔ:dinl 'nʌmbə]
Rechtschreibung	die Orthographie*	orthography	[ɔ:'θɔgrəfi]
Satzaussage	das Prädikat	predicate	['predikit]
Satzergänzung	das Objekt	object	['ɔbdʒikt]
im 2. Fall	das Genitivobjekt	genitive object	['dʒenitiv ~]
im 3. Fall	das Dativobjekt	indirect object	['indi'rekt ~]
im 4. Fall	das Akkusativobjekt	direct object	[di'rekt ~]
mit Verhältniswort	das präpositionale Objekt	prepositional object	[prepə'ziʃnl ~]
Satzgegenstand	das Subjekt	subject	['sʌbdʒikt]
Selbstlaut	der Vokal	vowel	['vauəl]
Sprachlehre	die Grammatik	grammar	['græmə]
Steigerung	die Komparation	comparison	[kəm'pærisn]
Steigerungsstufe	der Komparativ	comparative (degree)	[kəm'pærətiv (di'gri:]
Tatform	das Aktiv	active voice	['æktiv'vɔis]
Umstandsbestimmung	die adverbiale Bestimmung	adverbial phrase	[əd'və:biəl freiz]
Umstandswort	das Adverb	adverb	['ædvə:b]
Vergangenheit	das Imperfekt	past tense	['pa:stens]
Verhältniswort	die Präposition	preposition	[prepə'ziʃn]
vollendete Gegenwart	das Perfekt	present perfect	['preznt 'pə:fikt]
vollendete Vergangenheit	das Plusquamperfekt	past perfect	[pa:st~]
vollendete Zukunft	das Futur II	second future	['sekənd'fju:tʃə]
Wirklichkeitsform	der Indikativ	indicative (mood)	[in'dikətiv (mu'd]
wörtliche Rede	direkte Rede	direct speech	[di'rekt spi:tʃ]
Zahl	der Numerus	number	['nʌmbə]
Zahlwort	das Numerale	numeral	['nju:mərəl]
Zeichensetzung	die Interpunktion	punctuation	[pʌnktju'eiʃən]
Zeit	das Tempus	tense	[tens]
Zeitwort	das Verb	verb	[və:b]
zielendes Zeitwort	transitives Verb	transitive verb	['tra:nsitiv ~]
Zukunft	das Futur	simple future	['simpl 'fju:tʃə]

Deutsche Normalschrift

a b c d e f g h i j

k l m n o p qu r s

ß (ſs) t u v w x y z

ä ö ü Ä Ö Ü

A B C D E F G H I J

K L M N O P Qu R

S T U V W X Y Z

Deutsche Schrift

a b c d e f g h i

j k l m n o p qu

r ſ s ß t u v w x

y z tz sch ä ö ü

A B C D E F G H

I J K L M N O P

Qu R S T U V W

X Y Z Ä Ö Ü

Neubearbeitung

Der Weg zur sicheren Zeichensetzung

Von Wolf-Dietrich Jägel
Ein Arbeitsbuch
Herleitung, Beispiele, Regeln, Übungen
51 Seiten, kartoniert, ISBN 3-506-25071-X

Dieses Arbeitsbuch gibt nicht nur die Regeln für die Zeichensetzung, sondern führt durch klare Beispiele und einprägsame Übungen auch zum rechten Gebrauch der Satzzeichen. Es ist bestimmt und unentbehrlich für alle Schulen, um Unsicherheiten in der Zeichensetzung wirksam auszuräumen. Das Buch eignet sich dabei sowohl für einen systematischen Durchgang als auch für den schwerpunktmäßigen Einsatz im Unterricht.

Neubearbeitung

Der Weg zur sicheren Rechtschreibung

Von Wolf-Dietrich Jägel
Ein Übungsbuch
99 Seiten, kartoniert, ISBN 3-506-25081-7

Das Buch bringt Rechtschreibübungen in einem systematischen Aufbau und Zusammenhang. Ausgehend von einer Erläuterung der Rechtschreibregeln, bietet es eine Fülle von Beispielen und Übungsmöglichkeiten sowohl für ausgewählte häusliche Arbeiten als auch für den gezielten Einsatz im Rahmen des Unterrichts. Zu jeder Übung ist die entsprechende Klassenstufe angemerkt.

Ferdinand Schöningh
Paderborn · München · Wien · Zürich